풍금이 있던 자리

아시아에서는 《바이링궐 에디션 한국 대표 소설》을 기획하여 한국의 우수한 문학을 주제별로 엄선해 국내외 독자들에게 소개합니다. 이 기획은 국내외 우수한 번역가들이 참여하여 원작의 품격을 최대한 살렸습니다. 문학을 통해 아시아의 정체성과 가치를 살피는 데 주력해 온 아시아는 한국인의 삶을 넓고 깊게 이해하는 데 이 기획이 기여하기를 기대합니다.

ASIA Publishers presents some of the very best modern Korean literature to readers worldwide through its new Korean literature series 〈Bilingual Edition Modern Korean Literature〉. We are proud and happy to offer it in the most authoritative translation by renowned translators of Korean literature. We hope that this series helps to build solid bridges between citizens of the world and Koreans through a rich in-depth understanding of Korea.

바이링궐 에디션 한국 대표 소설 012

Bi-lingual Edition Modern Korean Literature 012

The Place Where the Harmonium Was

신경숙
풍금이 있던 자리

Shin Kyung-sook

ASIA
PUBLISHERS

Contents

풍금이 있던 자리

The Place Where the Harmonium Was

어느 동물원에서 있었던 일이다. 한 마리의 수컷 공작새가 아주 어려서부터 코끼리거북과 철망 담을 사이에 두고 살고 있었다. 그들은 서로 주고받는 언어가 다르고 몸집과 생김새들도 너무 다르기 때문에 쉽게 친해질 수 있는 사이가 아니었다. 어느덧 수공작새는 다 자라 짝짓기를 할 만큼 되었다. 암컷의 마음을 사로잡기 위해서는 그 멋진 날개를 펼쳐 보여야만 하는데 이 공작새는 암컷 앞에서 전혀 반응을 보이지 않았다. 그러고는 엉뚱하게도 코끼리거북 앞에서 그 우아한 날갯짓을 했다. 이 수공작새는 한평생 코끼리거북을 상대로 이루어질 수 없는 사랑을 했다…… 알에서 갓 깨어난 오리는 대략 12~17시간이 가장 민감하다. 오리는

"This is something that happened in a zoo. A peacock lived from its early days close to a giant tortoise with only a fence of wire net between them. Because of their completely different languages and shapes it was inconceivable that they could ever have a close relationship.

Time passed and the cock grew old enough to find a mate. It should have spread out its tail to attract a peahens but it showed no inclination to do so. The extraordinary thing was that it was displaying its splendid tail only in front of the tortoise. All its life it loved the tortoise with a love that could never be requited.

이 시기에 본 것을 평생 잊지 않는다.

— 박시룡, 『동물의 행동』 중에서

마을로 들어오는 길은, 막 봄이 와서,

여기저기 참 아름다웠습니다. 산은 푸르고…… 푸름 사이로 분홍 진달래가…… 그 사이…… 또…… 때때로 노랑 물감을 뭉개 놓은 듯, 개나리가 막 섞여서는…… 환하디 환했습니다. 그런 경치를 자주 보게 돼서 기분이 좋아졌다가도 곧 처연해지곤 했어요. 아름다운 걸 보면 늘 슬프다고 하시더니 당신의 그 기운이 제게 뻗쳤던가 봅니다. 연푸른 봄 산에 마른버짐처럼 퍼진 산벚꽃을 보고 곧 화장이 얼룩덜룩해졌으니.

저, 저만큼, 집이 보이는데,

저는, 집으로 바로 들어가질 못하고, 송두리째 텅 빈 것 같은 마을을 한 바퀴 돌고도…… 또 들어가질 못하고…… 서성대다가 시끄러운 새소리를 들었어요. 미루나무를 올려다보니 부부일까? 두 마리의 까치가, 참으로 부지런히 둥지를…… 둥지를 틀고 있었어요. 오래 바라보았습니다, 둘이 서로 번갈아가며 부지런히 나뭇잎이며 가지들을 물어 나르는 것을.

... A duck's perception is at its height within the first 12 to 17 hours from the moment of hatching. It retains the impression gained in these hours for the rest of its life."

From Park Si-ryong, *Animal Behaviour*

The road entering the village: spring had just come, and here and there, it was really beautiful. The hills were green... and among the green, pink azaleas... and between them... splashes of yellow—the forsythia... it was indeed splendid. Now and again I would be cheered up by such scenery only to feel miserable again the next moment. When you saw something beautiful, you used to say, you felt sad. Probably this spirit of yours must have come over me. While staring at the wild cherry blossoms, white among the green spring hills, my make-up went all smudged.

There, just over there, I could see my home but instead of going straight to it, I walked around the village once. It looked empty... even then unable to go home... I was loitering on when I heard the birds. I looked up at a poplar tree. Could they be husband and wife? A pair of magpies were building

이 고장을 찾아올 때는 당신께 이런 편지를 쓰려고 온 것이 분명 아니었습니다. 이런 글을 쓰려고 오다니요? 저는 당신과 함께 떠나려 했잖습니까.

비행기를 타 버리자.

당신이 저와 함께하겠다는 그 결정을 내려 주었을 때, 저는 너무나 환해서 꿈인가? ……꿈이겠지, 어떻게 그런 일이 내게…… 다름도 아닌 내게 찾아와 주려고, 꿈일 테지, 했어요.

죄라면 죄겠지. 내 삶을 내 식대로 살겠다는 죄.

제가 꿈인가? 헤매는데 당신은 죄라면 죄겠지, 하시며 진짜 일을 진척시키기 시작했죠. 당신을 알고 지낸 지난 이 년 동안 무너져만 내리던 제게 어떻게 그런 환한 일이, 스포츠 센터 일을 다 정리하고 나서도 암만 꿈같아서, 당신에게 다짐을 받고 또 다짐을 하다가 결국은 또 눈물……이,

이 고장을 찾아올 때는 당신께 이런 글을 쓰려고 온 것이 분명 아니었습니다. 이런 편지를 쓰려고 오다니요? 저는 일단 나서고 보자는 당신에게 제 숨을…… 이 숨을 드리고 싶었습니다. 다만 떠나기 전에, 아무것도 모르시는 부모님과 작별을 하려고 온 것입니다. 당신과 함께 비행

a nest... a nest... working assiduously indeed. I watched them for a long time, the two of them busily carrying up leaves and twigs, taking turns.

When I decided to come here, believe me, I had no intention of writing a letter like this. As you know, I had already made up my mind to go away with you.

"Let's get on the plane," you said. When you came up with the decision to go away with me, I was too dazzled. Is this a dream? I thought... it must be... how could such a thing happen to me? Not to someone else, but to me? ... it must be a dream, I said.

"Sin? It maybe. The sin of wanting to live my own life in the way I choose."

While I was in a daze, thinking it a dream, you said, "Let them call it a sin if they want to", and actually began to go ahead with practical measures. How could such a brilliant thing happen to me? During the two years that I had known you I had been going to pieces, and so it was unbelievable that such a dazzling thing was happening. Even after I had cleared up my job at the sports centre I could not believe it was not all a dream, so I demanded assurance from you again and again,

기를 타고 나면 이분들을 살아생전에 다시 뵐 수나 있을까, 하는 생각에.

기차에서 내려 제가 맨 먼저 한 일은 역구내 수돗가에서 손을 씻었던 일입니다. 십오륙 년 전에, 여학교를 졸업하고 이 고장을 떠나면서도 나는 그 수돗가에서 손을 씻었었습니다. 그 이후로 이 고장에 내려오거나 다시 이 고장을 떠날 때마다 저는 그 수돗가에서 손을 씻었습니다. 그 무엇과 아무 연대감도 없이 이루어진 손 씻는 습관은 이번에도 예외는 아니어서 어느덧 저는 그 자리에 서 있었던 것입니다. 그런데 불쑥 제 속에서 누군가 묻는 것이었어요. 너는 왜 이 고장을 떠나거나 도착할 때마다 이 자리에서 손을 씻는 거지? 저는 그 질문에 답변을 할 수가 없었습니다. 그 자리에서 손을 씻고 마을로 들어가면 도시에서 있었던 모든 일을 잊을 수 있다고 생각해서 그랬을까요? 그 자리에서 손을 씻고 이 고장을 떠나가면 이 고장에서 있었던 일들을 잊을 수 있다고 생각해서 그랬을까요? 글쎄, 그건 단순히 이루어진 습관이었을까요? 그날, 그 수돗가에 손목시계를 벗어 두고 온 것을 집에 돌아와서야 알았습니다. 그 노란 시계는 당신이 주신 것이었지요. 제 팔목에 매달려, 햇살을 받을 때마다 반짝 윤이 나

ending up each time in tears...

When I set out to visit this place, I assure you, I wasn't intending to compose a letter like this. How could I? When you said, "Let's make a start anyway, and then see," I wanted to offer you my life—this life of mine. Before we went away, I wanted to take leave of my parents who do not know anything about our relationship. That was why I came. Once I had boarded a plane with you, I doubted whether I would see them again in their life time.

The first thing I did when I got off the train was to wash my hands at a tap inside the station. When I was leaving my country home for the first time, some fifteen or sixteen years ago, after finishing high school, I had washed my hands at that same tap. Since then each time I came back or left I did the same. It had become a habit... no exception this time. Unawares, I found myself standing at the spot. Suddenly a voice inside me asked. "Why do you do this every time you come or go?" I had no answer. Was it because I was thinking that by washing my hands before entering the village I could forget all that had happened in the city? Or before leaving the countryside what had happened there? Well, it's simply a habit formed by routine.

던, 시침과 분침 초침을 맑게 비추던 유리알에 당신의 이니셜이 새겨진.

제 마음속에 일어난 이 파문을 당신께 어떻게 설명해야 합니까? 과연 설명이 가능한 파문인지조차 저는 모르겠습니다. 하지만 영문을 몰라 하는 당신이 거기 있으니, 저는 당신께 어떻게든 제 마음을 전해 드려야지요. 지금 제 마음은 어쩌면 당신께 이해받지 못할지도 모르겠습니다. 설령 그렇더라도 제가 할 수 있는껏은 해야 하는 것임을, 그것이 당신에 대한 제 할 일임을 괴롭게 깨닫습니다. 제 표현이 모자라서 이 편지를 다 읽으시고도 제 마음이 야속하시면…… 그러면 또 어떡해야 하나…….

강물은…… 강물은, 늘…… 늘, 흐르지만, 그 흐름은 자연스러운 것이지만, 어찌된 셈인지 제게는 그 강과 함께 흐르기로 마음먹는 일이 제 심연의 물을 퍼 주고야 생긴 일임을, 아니에요, 이런 소릴 하는 게 아니지요, 다만, 어떻게 하더라도 제게 어찌할 수 없는 아픔이 남는다는 걸 알아 주시…… 아니에요, 아닙니다.

그 여자…… 그 여자 얘길 당신에게 해야겠어요.

그토록 서성였는데 들어와 보니 집은, 텅…… 텅, 비어 있었습니다. 텅 빈 집 마루에 앉아 대문을 바라다본 적이

When I got home that day I realized that I had taken my wristwatch off and left it by the tap. The yellow watch you gave me. On my wrist, it used to give dazzling flash when it caught the sun. The glass through which the watch hands pointing the hours, the minutes and the seconds shone brightly and had your initials inscribed on it.

How can I explain to you these waves that have risen in my heart? I am not at all sure whether they are of the kind that can be explained. But you are there not knowing, so I must do whatever I can to tell you about my feelings. You may never understand them. Even so, I must try as hard as I can—I am painfully aware that I owe you this. If, through my inadequate expression, you still resent me for what I am thinking even after you have read this through... then what must I do?

The river... river, always... always flows, and it is a natural thing, but in my case, for some reason, a decision to flow with the river came only after pouring out water from the depth within me. Sorry, that's not right. I ought never to say such things. All I ask of you is to understand that whatever I do there remains an ineradicable pain... no, I don't mean that either.

있으신가요? 누군가 열린 그 대문을 통해 마당으로 성큼 들어서 주기를 바라면서 말이에요. 마당엔 봄볕이 가득 차 있었습니다. 대문 옆 포도나무 덩굴 감김새 위에 메추라기 한 마리가 포르르 내려와 앉더군요. 메추라기는 잠시 어리둥절한 폼을 취하더니 다시 포르르 허공에 금을 긋고 날아갔습니다. 이상한 일이지요. 메추라기를 쫓아가던 시선을 다시 대문에 고정시켰을 때, 제 속에서 매우 친숙한 느낌이 어떤 두꺼움을 뚫고 새어 나왔어요. 저는 파란 페인트칠이 벗겨진 대문을 눈을 반짝 뜨고 바라다봤습니다. 언젠가 이와 똑같은 풍경이 제 삶을 뚫고 지나간 적이 있음을, 저는 기억해 낸 것입니다. 시누대가 있던 자리에 아스팔트를 깔았는데, 몇 년이 지난 어느 봄에 그 아스팔트를 뚫고 죽순이 솟았다더니, 제 마음에도 바로 그런 요동이 일었어요. 여섯 살이었을까, 아니면 일곱 살? 막내동생이 막 태어나던 해였으니, 일곱 살이 맞겠습니다. 저는 마루 끝에 엉덩이를 붙이고 앉아 누군가 열린 대문을 통해 들어와 주기를 바라고 있었습니다. 그토록 간절히 바란 것으로 보면 어쩌면 어머니를 기다렸던 건지도 모릅니다. 바로 그때 그 여자가 나타났던 것입니다. 그 여자가 열린 대문으로 들어섰을 때 제 발 끝에 매달려 있던 검정

That woman... I must tell you about her.

I had been loitering outside for such a long time but when I went in the house was actually empty... completely empty. Have you ever experienced sitting on the verandah of a house that is completely empty and staring at the gate—I mean hoping someone will come through that open gate and walk briskly into the yard?

The yard was filled with spring sunshine. A quail fluttered down and alighted on top of the grapevine by the gate. After posing in an attitude of bafflement for a few moments it took wing, again with a flutter, and drew a line in the air as it disappeared. It was weird. As my eyes, following the bird, turned to the gate again some very familiar feelings rose from within, piercing through a certain thickness. I tightened my eyes and stared hard at the gate with its peeling blue paint. I remembered once, whenever it was, there had occurred exactly the same scene as this which had pierced my life. I had heard that a patch of bamboos had been asphalted over and one spring, a few years later, a bamboo shoot poked out through the thick crust of asphalt. My mind was similarly stirred.

I was probably six or seven. It was the year my

고무신이 툭, 떨어졌습니다. 여자는 마당의 늦봄볕을 거느린 듯 화사했습니다. 그때까지 저는 그토록 뽀얀 여자를 본 적이 없었어요. 마을을 단 한 번 벗어나 본 적이 없는 어린 저는, 머리에 땀이 밴 수건을 쓴 여자, 제사상에 오를 홍어 껍질을 억척스럽게 벗기고 있는 여자, 얼굴의 주름 사이로까지 땟국물이 흐르는 여자, 호박 구덩이에 똥물을 붓고 있는 여자, 뙤약볕 아래 고추 모종하는 여자, 된장 속에 들끓는 장벌레를 아무렇지도 않게 집어내는 여자, 산에 가서 갈퀴나무를 한 짐씩 해서 지고 내려오는 여자, 들깻잎에 달라붙은 푸른 깨벌레를 깨물어도 그냥 삼키는 여자, 샛거리로 먹을 막걸리와, 호미, 팔토시가 담긴 소쿠리를 옆구리에 낀 여자, 아궁이의 불을 뒤적이던 부지깽이로 말 안 듣는 아들을 패는 여자, 고무신에 황토흙이 덕지덕지 묻은 여자, 방바닥에 등을 대자마자 잠꼬대하는 여자, 굵은 종아리에 논물에 사는 거머리가 물어뜯어 놓은 상처가 서너 개씩은 있는 여자, 계절 없이 살갗이 튼 여자…… 이렇듯 일에 찌들어 손금이 쩍쩍 갈라진 강팍한 여자들만 보아 왔던 것이니, 그 여자의 뽀얌에 눈이 둥그렇게 되었던 건 당연한 것이었는지도 모릅니다.

텃밭이 어디니?

youngest brother was born, so I must have been seven. I sat on the edge of the verandah hoping some one would come through the open gate. From the eagerness with which I was waiting, I guess it must have been for my mother. At that very moment that woman appeared. When she stepped through the gate, the rubber shoe dangling from my toe dropped. As if borne by the sunlight of a late spring that filled the yard, she was fabulous. I had never seen, until then, a woman with such a milk-white face. I was young and had never once been outside the village. All the women that I had seen had been tough and irascible people with hands chafed from hard work. They wore sweat-soaked cloths on their heads; some of them brutishly peeling the skin off fish to be put on the sacrificial tables, sweat running down between the lines of their faces; others pouring excrement into pits before planting marrows or transplanting peppers, under a scorching sun; there were those picking out, not a bit bothered, the swarming grubs from the bean paste jar; some carried on their backs loads of brushwood they had gathered up in the hills; women who when they had bitten into a green caterpillar while eating perilla leaves, just

그 여자가 제게 다가와 제 어깨를 매만지며 물었어요. 여자는 어느덧 부엌에서 소쿠리를 들고 나와 제 앞에 서 있었지요. 저는 그 여자의 화사함에 이끌려 고무신을 꿰 신고, 그 여자를 뒤세우고는 텃밭으로 난 샛문을 향했습니다. 그 여자에게서는 그때껏 제가 맡아 본 적이 없는 은은한 향내가 났습니다. 그 여자가 움직일 때마다 그 향내는 그 여자에게서 조금 빠져나와 제게 스미곤 했습니다. 그게 왜 그리 저를 어지럽게 하던지요. 텃밭으로 가는 길에 물을 길어 나르던 장성댁을 만났는데, 장성댁은 물동이를 내려놓고까지 그 여자와 나를 쳐다봤어요, 샐쭉한 표정으로.

그 여자는 잔배추와 잔배추들 사이를 헤집고 다니며 소쿠리에 잔배추를 뽑았습니다. 텃밭 한 켠에 심겨진 푸르른 조선파도 뽑아 담았습니다. 여자는 새각시처럼 뉴똥 저고리를 입고 있어서, 배추를 뽑을 때는 배춧잎같이, 파를 뽑을 때는 팟잎같이 파랗게 고왔습니다. 텃밭지기 노랑나비도 그 여자 머리 위에 내려앉으니 날개를 바꿔 달은 듯했어요. 텃밭에 들어갔다 나오자 여자의 흰 코고무신에 흙이 얼룩졌지만, 여자는 아무래도 상관없는 듯 제 손을 이끌고 다시 샛문을 통해 집으로 돌아왔습니다. 그

pushed it down their throats; those going to work carrying a basket with some rice wine for the break, a short hoe and wrist-bands in it; women beating their naughty kids with the stick with which they had been poking the kitchen fire; some wore rubber shoes caked with yellow mud; some mumbled in their sleep no sooner than their backs had touched the floor; some carried scars on their legs from the leeches in the water-filled paddies, while some had chafed skin year round, regardless of the season... These were the womenfolk that I had known. So it was no wonder that my eyes popped out at the sight of the milky whiteness of this woman.

She came close to me and as she touched my shoulder, she said, "Can you show me where the vegetable plot is?" In no time she fetched a basket from the kitchen and stood beside me again. Fascinated by her air of luxury I poked my toes into my shoes and walked toward the small gate that led to the vegetable plot as she followed. She gave off a faint fragrance, which I had never smelt before. It floated over her every movement and, little by little, it seeped through me. How giddy it made me! On the way to the vegetable patch we passed

렇게 우리 집으로 불쑥 들어온 그 여자가 맨 먼저 한 일은 김치를 담그는 일이었어요. 저는 영문도 모르고 김치 담그는 그 여자 곁에서 잔심부름을 해 주었어요. 생강 껍질도 벗겨 주고, 마늘도 짓찧어 주었으며, 우물에서 소금에 절인 배추를 씻을 때는 두레박질도 해 주었지요. 그 여자는 아무래도 그런 일이 서툰 듯했어요. 어머니께서는 한눈을 파시면서도 단숨에 척척 해내는 무생채 써는 일은 특히 말이에요. 어머니의 도마질 소리는 깍둑깍둑깍둑…… 경쾌했지만, 그 여자의 도마질 소리는 깍…… 뚝…… 깍…… 뚝……이었어요. 그렇게 그 여자는 파란 페인트칠이 벗겨진 대문을 통해 우리 집으로 들어왔고, 대신 그 대문으로 어머니께서 자취를 감췄습니다. 안방 아기그네에 백일이 겨우 지난 막내 동생까지 남겨 두고.

여자는 힘들게 김치를 담가서 저녁 밥상을 차려 내놓았지만, 우리 형제들은 아무도 수저를 들지 못했습니다. 큰오빠가 윗목에 버티고 앉아 눈을 부라리고 있었기 때문이에요. 저는 점심도 못 먹었던 터라 밥상이 나오자, 수저를 들려고 했습니다. 그러다가 큰오빠의 매서운 눈초리에 힘없이 내려놓았어요.

밥들 먹어!

Changsŏng-daek carrying water from the well on her head. She went as far as to lower the jar to the ground to stare at us with a contemptuous, hostile look.

The lady went through the cabbages picking up the smaller ones and putting them in her basket. She pulled up some spring onions too from the patch at the edge of the plot. Like a newly-wed bride, she was wearing a silk *chŏgori*, so that when she picked the cabbages she was as pretty as the cabbage leaves or as pretty as the spring onion when she was picking that. Even the yellow butterfly, the master of the plot, looked different when it settled on her head, as if it had put on new wings. After being in the vegetable plot her white rubber shoes were smeared with mud, but she did not seem to think that it mattered. She held my hand as she led me through the side gate into the house.

On her return, the first thing she did was to make some *kimch'i*. Not knowing what was going on, I stayed beside her doing small jobs for her. I pared the ginger, helped to pound the garlic and when she was rinsing out the salted cabbage by the well, I even drew water for her. Obviously not used to such work, she was clumsy at such things as slicing

여자는 우리 형제들을 향해 애원하듯 말했지만 우리는 큰오빠의 위세를 물리칠 수가 없었어요. 아버진 입을 꽉 다문 큰오빠를 지나 어두워진 마당을 담배를 피우며 내다보실 뿐이었습니다. 그네 속의 막내 동생이 울음을 터뜨렸을 때, 큰오빠는 아버지에게 보내는 도전장처럼 무겁게 입을 열었어요.

너희들 모두 나를 따라 나와.

그때 막 중학생이 되었던 까까머리 큰오빠는 무슨 마피아의 두목 같았습니다. 숨이 넘어갈 듯 울어 젖히는 강보의 동생과 어쩔 줄 모르는 손을 맞비비고 있는 그 여자와, 뽀끔뽀끔 담배 연기를 내뿜는 아버지를 남겨둔 채 우리는 어린 두목에게 이끌려 마을 다리로 나갔습니다. 큰오빠는 우리 셋을 나란히 줄 세웠어요. 그리고 자기는 중앙에서 서서 엄숙하게 말했습니다.

너희들 내 말 잘 들어. 오늘부터 내 말을 안 들으면 너희들 국물도 없을 줄 알어. 오늘 집에 온 그 여자는 악마다. 그러니까 그 여자가 해 준 밥은 먹지도 말고, 불러도 대답도 하지 말고, 그 여자가 빨아 준 옷은 입지도 말아라.

성아, 왜?

큰오빠의 옷자락을 잡아끌며 물었던 사람은 그때 저보

and shredding the mooli which my mother would do in a jiffy even while keeping an eye on other things. The sound mother made on the chopping board, *ch'om, ch'om, ch'om...* was light and cheerful, but she went *ch'o..mph, ch'o...mph....*

This is how she entered our house, coming through the gate with peeling blue paint, the same gate that my mother had walked out of and gone clean away, even leaving behind her youngest child, then only a hundred days old. After making *kimch'i*, which was hard work for her, she prepared the meal table and brought it in, but none of us dared to pick up our spoons and chopsticks. It was because of our big brother who sat at the top end of the room with glaring eyes. I had missed my lunch, so I was eager to pick up my spoon when I met his fierce eyes. Weakly I put it down.

"Please eat!" She spoke to us pleadingly, but she could not defuse his arrogant dignity. With a cigarette in his mouth, my father just stared out into the garden that had gone dark, beyond my brother who sat with his mouth firmly set. When the infant in the cradle began to cry, my brother opened his mouth as if to challenge to my father and commanded us, "All of you, come out with me!" He had just begun

다 한 살 많았던 바로 위 오빠였습니다.

배고픈데, 성!

바로 위 오빠 뱃속에서 꼬르륵 소리가 났고, 그의 목소리는 거의 울 듯했어요. 제 심정도 그 오빠의 심정과 같았습니다. 더구나 그 여자는 얼마나 뽀얀가요. 큰오빠는 버럭 화를 냈어요.

그렇게 해야만 어머니가 돌아온단 말이야!

큰오빠는 나란히 줄서 있는 우리 셋 앞을 서성이다가 어느 순간 제 앞에 우뚝 멈췄어요. 저는 숨이 멎는 듯했습니다.

특히, 너…… 너 오늘처럼 그 여잘 졸졸 따라다녔단 봐! 너 엄마 없이 살 수 있어?

저는 주저앉아 울음보를 터뜨려 버렸어요. 그렇잖아도 숨 막히게 하는 그 무엇이 가슴을 짓누르는 중이었는데, 큰오빠가 그 이유를 정확히 집어내 주었던 것입니다. 그 여자를 뒤세우고 텃밭으로 갈 때 마주쳤던 장성댁의 그 샐쭉해지던 표정이며, 그 여자의 은은한 향기로움이 좋기만 한 게 아니라 머리를 어지럽게 하던 것의 실체가 잡혔지요. 그 봄날, 그렇게 찾아와 우리 집에 스무 날쯤 살다 간 그 여자가, 제가 이 집에 도착해 마루에 앉아 대문을

at a junior high school. With his hair shaved off he looked like the boss of some gangsters. We left the baby crying loudly as if his breath would snuff out at any moment, the woman, at her wits' end, rubbing her hands, and our father puffing out cigarette smoke, and were led out by our little boss to the bridge in the village. He stood the three of us in a row, took his position in front of us and said solemnly: "Listen to me carefully, all of you. From today, you will obey me, and if you don't I'll give you hell. This woman that has come to our place today is a devil. Therefore you are not to eat anything she cooks, or answer any of her calls or wear any clothes that she has washed."

"But why, brother?" asked my other brother, a year older than me, as he tugged at the clothes of his elder. "I'm starving, brother." A gurgling sound came from his stomach and his voice was choked in tears. I felt exactly the same. Besides, she was so beautiful. Our big brother exploded in anger. "It's the only way to bring our mother back, that's why!" He began to pace up and down before us and suddenly came to a dead stop in front of me. My heart lost a beat.

"Especially you.... Just keep on dancing round her

바라보고 있는데 죽순처럼 제 속을 뚫고 올라왔던 것이에요, 제 근원을 아프게 건드리면서.

사랑하는 당신

실로 오랜만에 다시 펜을 들었습니다. 어제는 당신이 다녀가셨지요. 그건 뜻밖이었어요. 제가 이곳에 머물러 있는 것을 어떻게 아셨어요? 저는 그동안 당신께 이곳 얘기를 단 한 번도 한 적이 없는데요. 여기에 올 때 제 마음은 하루나 이틀만 묵고 갈 생각이어서 당신께 말씀드리지도 않았는데요.

제 심정을 당신께 알려 드리는 일이 가능한 일이 아니라는 생각이 자꾸만 들었어요. 무슨 일을 글로 써 보는 것에 습관이 들여지지 않아서인지, 어제 당신의 혹독한 질책처럼 마음이 하고 싶지 않은 일을 제가 억지로 몰아붙이고 있어서……인지…… 펜을 놓고 다시 쓰질 못하고 있었어요.

어제 당신이 오시기 바로 전에 저는 우사에서 소 분만시키고 계시는 아버지 곁에서 그 뒷심부름을 하고 있었습니다. 그 여자가 우리 집에 처음 왔을 때 제게 물었던 텃밭, 그 여자가 은은한 향내를 풍기며 나비보다 더 가볍게

like you did today, and you'll see! Can you live without our mother?"

I flopped on the ground and burst into tears. I had been conscious of it, some thing that made me breathless and weighed heavily on my heart. Now my brother had showed me exactly what it was. I grasped the true meaning of that disapproving look on Changsŏng-daek's face, when she saw me leading that woman to the vegetable plot and the faint scent of her that had not only been pleasant, but caused my head to spin.

The woman who came to our house on that spring day, lived there for about ten days and went away—the thought of her rose poking through me like the bamboo shoot, as I sat on the verandah and stared at the gate on the day I came here, painfully stirring my roots.

My beloved,

I have picked up the pen again after a very long time. You were here yesterday. It was so unexpected. How did you find out that I was here? I have never once told you about this place. Because I had intended to stay only for a day or two, I had thought, there was no need to explain where I was

연두색 배추를 뽑던 그 밭이 지금은 우사가 되었습니다. 다른 소들보다 수월하게 송아지를 낳았다고 아버지께선 어미 소를 쓰다듬어 주셨어요. 그것도 수송아지를요. 아버지께서 소 태를 거두시는 걸 보며 집으로 돌아왔는데 당신이 제 집 마당에 서 계시더군요. 처음엔 거기 서 계시는 당신이 환영인가…… 어떻게 당신이 여기를? 헛것이겠지…… 했어요. 오죽했으면 아버지가 돌아오실 때까지 당신을 쳐다보기만 했을까요? 당신을 알고 지내는 동안 늘 소망했었습니다. 당신을 아버지께 뵈 드릴 수 있으면 얼마나 좋을까, 하고요. 그 간절하던 마음이 이루어졌는데, 저는 마치 도망자를 감추듯이 당신을 끌고 황급히 대문을 빠져 나와야 했다니, 아버지와 당신의 그 짧은 만남이라니.

시내 다방에 마주앉았을 때, 당신은 나를 질책하셨어요. 당신은 저를 그렇게도 간절히 바라건만, 제가 당신과의 관계를 그저 남녀 간의 어지러운 정쯤으로 생각한다는 것이었지요. 저는 그렇지 않다고 말씀드렸어요. 그렇지 않으면 왜 약속을 어기려 드느냐고 되물으셨지요. 저는 당신께 제 심정을, 복잡하게 들끓고 있는 이 심정을, 단 몇 가닥만이라도 말씀을 드리려고 했습니다. 그 여자가 건드려 놓은 제 심정에 대해서 말이에요. 역시 당신은 무슨 소

going.

Again and again, I thought that it would be an impossible task to make you understand what I was feeling. It could be because I am not used to explaining things in writing, or maybe because I was doing it against my own inclination as you mercilessly pointed out yesterday... once I had put the pen down I could not write any more.

Shortly before you came, I was in the cow shed with my father giving him a hand with the cow's delivery. The old vegetable plot that the woman had asked me to show her when she first arrived, where she had moved about lighter than a butterfly as she pulled out the pale green cabbages, the faint fragrance wafting from her—is the site of a cow shed now. My father, pleased that it had been an easy birth, stroked the cow. Besides it was a male calf. I left him to deal with the umbilical cord and returned to find you standing there in the yard. At first I thought it was a phantom... for how could you be there? It's an illusion... so much so that I did nothing, but stare at you until father came up. All the while I was with you I had wished so much to present you to my father. That cherished dream had come true at last, but all I did was to hurriedly drag

린지 도저히 모르겠다는 표정이셨지요. 저는 제 심정을 글로 옮겨 놓는 재주만 없었던 게 아니라, 눈썹 하나만 까딱해도 무슨 말을 하는지 안다고 생각했던 당신, 다름 아닌 그 당신께 말로 옮기는 재주조차 없었던 것입니다. 제가 그 여자가 만들어 줬던 음식에 대해서, 그리고 제가 근무하고 있었던 스포츠 센터에서 눈물을 글썽이며 에어로빅 수강을 받던 중년 부인에 대해서 얘기하면 할수록 당신은 얼굴빛이 붉으락푸르락해지셨어요. 그러다 곧 눈물에 젖은 당신의 눈을 바라봐야 하는 제 괴로움이 그토록 술을 마시게 했습니다. 오이채를 썰어 넣기는 했지만, 그러나 막소주를 저는 얼굴빛이 창백해지며 퍼마셨습니다. 제가 당신과의 관계를 남녀 간의 어지러운 정쯤으로 생각하다니요?

어제 당신과 저는 꼭 한집에 살고 있는 개와 고양이 같았습니다. 둘이 앙앙대는 건 서로를 이해하는 방식이 달라서라지요. 개가 앞발을 들면 함께 놀자는 마음 표시인데, 고양이에겐 그게 언제든지 대들겠다는 경계 신호라잖아요. 고양이가 귀를 뒤로 젖히는 건 심정이 사나우니 건드리면 언제든 할퀴어 놓겠다는 뜻이지만, 개는 당신에게 순종하겠다는 의미라니, 둘 사이에 오해가 싹틀 수밖에

you out of the gate as if to hide a deserter. Ah, that brief encounter between you and him!

When we sat facing each other in a tea-house in the town, you upbraided me. You so earnestly desired me, you said, but I was treating our relationship as no more than a trivial love affair. I protested, saying that it was not so. If not, why would I try to break my promise, you asked. I attempted to explain at least some of my thoughts and feelings, the complicated, seething contents of my heart—the heart stirred up by the thought of that woman. As I had expected, your expression showed that you could make neither head nor tail of what I was talking about. Not only have I no ability to convey to you my thoughts in writing, but obviously none by speech either. And yet, I had believed that we understood each other so well that I could tell what you were thinking from the mere blinking of your eyelashes.

I talked about the food that woman cooked, and the middle-aged woman whose eyes brimmed with tears as she took my aerobic training at the sports centre where I used to work. The more I talked the more upset you became, the colour of your face changing to red and from red to blue.

요. 어제 당신과 제가 꼭 그랬습니다. 제 마음을 당신은 느닷없이 왜 그렇게 고고해졌느냐며 할퀴었고, 저는 당신 이외의 다른 감정을 모두 뭉개려만 드는 이기주의라고 당신을 물어뜯었습니다. 당신은 출국 날짜를 일러 주고 가셨습니다. 그 날짜에 맞춰 제가 돌아올 걸 믿는다고도 하시면서도 당신은 석연치 않은 얼굴로 새벽 기차를 타고 다시 도시로 가셨어요. 집에 돌아왔을 때, 아버진 마루에 앉아 계셨습니다. 당신의 팔을 붙들고 황급히 도망치듯 집을 나섰던 저를 보고 짐작하신 게 있으신지 저를 바라보는 표정이 말할 수 없이 일그러져 계셨어요. 무슨 말씀이든 다 들으려고 아버지 곁에 엉덩일 붙이고 앉았으나, 얼마 후에야 아버진 그냥 방으로 들어가시며 힘없이 중얼거리시더군요. 그놈, 그 수송아지가 눈뜬봉사여야.

방금 어머니께선 상가에 가셨습니다. 돌아가신 분은 점촌 할머니에요.

생전을 춥게만 살드만 가는 날은 따뜻헌 날 잡었구나.

어머니는 봄볕으르 내다보시며 혀를 쯧쯧, 차셨습니다. 가신 분이 점촌댁, 점촌 할머니라고 들었을 때, 저는 또 한 번 가슴이 철렁했어요. 기……억은, 이상한 것이에요. 칠흑 같은 무명에 휩싸여 있던 것들이 어떻게 한순간에 그

Then the pain of having to watch your eyes becoming tearful. It was that pain that made me drink so wildly. There were some slices of cucumber to go with it, but I gulped it down with virtually no food, my face turning white. That I think of our relationship as some kind of scandalous sexual affair?—How could you say that?

Yesterday, you and I were like a dog and a cat in the same house. It is because they have different ways of understanding each other that they get into scuffles. When a dog lifts its forelegs, I am told, it means to say "Let's play together," but for a cat it is seen as a warning signal for an attack. When a cat lays its ears back it means to warn you that it is in a belligerent mood, and so if you touch him he will scratch you, while for a dog it is a gesture of willingness to obey. It is no wonder then that between the two creatures misunderstandings arise. You and I were just like that. You clawed at my heart shouting "Why this sudden loftiness?" while I inflicted on you savage bites calling you " An egoist who tries to squash all other feelings except your own." You gave me the departure date and left, saying that you trusted me to come back in time for that. Your face looked uncertain as you got on the early morning

렇게도 투명하게 비춰지는지.

제 기억 속의 점촌댁은 울면서 줄넘기를 하고 있습니다. 저는 어머니께 그 할머니가 돌아가셨다는 말씀을 듣기 전까지는 그분이 아직 살아계신 것도 모르고 있었습니다. 점촌댁, 점촌 할머니댁은 이 마을 끝에 있습니다. 어머니를 따라 자주 그 댁에 밤마실을 갔었어요. 그때, 점촌댁은 다리를 절름대며 줄넘기를 하고 계셨어요.

다리도 안 성한 사람이 이게 무슨 짓이여!

어머니께서 한사코 말렸지만 점촌댁은 줄넘기를 멈추지 않았습니다. 어머니와 마을 아주머니 몇 사람이 모여앉아 하는 얘기로는 점촌댁이 제사장을 봐 머리에 이고 오는 중에 맞은편에서 달려오는 짐자전거를 피하려다 다리 밑으로 굴러 다리를 다치셨다는 것이었습니다. 점촌댁은 그로 인해 거의 이 년 동안을 운신을 못 하셨고, 그사이 점촌 아저씨가 다른 여자를 봤다는 것입니다. 다리를 움직이지 못해 방 안에만 있느라고 뚱뚱해진 점촌 아주머니는 그 이후로 그 아픈 다리로 서서 울면서 줄넘기를 하신다는 것이었습니다. 새끼줄 두 줄을 뚤뚤 엮어 만든 그 줄. 지금 당신이 있는 그 도시. 제가 강사로 나가던 그 스포츠 센터의 에어로빅 저녁반 시간에 어느 날 한 중년 부

train. When I returned, I saw my father sitting on the verandah. He must have gathered something from the way I had hurriedly dragged you out of the house as if running away. As he looked at me his expression was extremely contorted. I sat beside him prepared to take anything he might say, but he did not speak. After a while as he walked away into the room what he mumbled weakly was, "Do you know the chap, the male calf, is blind with open eyes?"

A short while ago, mother set off for a house of mourning. The person who has died is Chŏmch'on-daek. "She has chosen a warm day to go after having such a cold time all through her life." Mother clicked her tongue as she looked out on the spring sunshine. When I heard that it was Chŏmch'on-daek who had died there was a lurch in my heart. Memories... they are strange things. Stuff that had remained wrapped up in heavy black cloth... how suddenly it become so vivid. Chŏmch'on-daek, in my memory, was weeping as she skipped. I had not realized that she was still alive. Chŏmch'on-daek, also called Chŏmch'on granny, or aunt, lived at the other end of the village. I used to go there often with my mother to spend an evening with her. In

인이 새로 들어왔었죠. 아! 당신께 말씀드렸지요? 첫 시간 수업 도중에 폭삭 무너지며 통곡을 했다는 그 중년 부인 말이에요. 남편이 집에 들어오지 않기 시작했다고 악을 썼다는 얘긴 제가 차마 말씀드리지 못했었어요. 그 이후로도 그 여인은 에어로빅 도중 마룻바닥에 무너지며 자주 울었지요.

어제는 그 젊은 애가 전화를 걸어왔지 뭐예요! 남편이 나와 이혼하고 저랑 살기로 했다고 당당하게 말하더라니까요, 선생님.

점촌 할머니가 돌아가셨다는 얘길 들었을 때, 그 여인의 에어로빅이…… 할머니의 새끼줄 줄넘기와 함께, 제 가슴을 훑고 지나간 건 또…… 웬…….

점촌댁, 이젠 돌아가신 점촌 할머니가 언제부터 줄넘기를 그만두셨는지는 모르겠으나, 그 이후로 점촌댁은 지금껏 홀로 살다가 이제 할머니가 되셔서 가신 거예요.

사랑하는 당신.

어제대로라면 제 얼굴을 빤히 들여다보시겠지요? 그 여자들이 도대체 너와 무슨 관련이 있니? 하시면서. 아무리 신비스런 과거를 가진 사람이라고 해도 그 과거는 그 사람들 것이다, 하물며 그다닥 엿볼 과거도 아닌 것을 왜 들여

those days she was skipping with a limp in her leg.

"You shouldn't be doing this with your bad leg." Mother tried to stop her in vain. I knew what my mother and other village women said about her. One day, she was carrying on her head a sacrificial table laid out with food, when she met up with a cyclist coming from the opposite direction. Attempting to dodge him, she fell off a bridge and hurt her leg. Because of this she was unable to go about for a couple of years and her husband fell for another woman. Chŏmch'on-daek, who had become fat during her confinement, took to skipping with her hurting leg, weeping as she did so. The skipping rope was two strands of straw rope intertwined.

That city where you are now. When I worked as the aerobics instructor at the sports centre, one day a middle-aged woman joined my evening class. Ah, I think I have told you about her, the one who collapsed and broke down and started wailing during her first lesson? But I refrained from telling you the further detail that she cried out loudly saying her husband had begun to stay away from home. After that she often broke down and cried in the middle of the class. Once she said,

다보느냐구요. 자기 자신이 캐낸 인생만이 값어치가 있는 거야. 무리지어 살면서 생긴 것들을 남들은 헤치고 나오려고 하는데 넌 이상하구나, 젊은 애가 왜 구역꾸역 그 속으로 자신을 밀어 넣고 있냐……고.

어제 차마 당신께 할 수 없었던 말이 있었습니다. 그건 당신과 저를 한꺼번에 어디선가 끌어내려 구덩이에 처넣는 일만 같아, 어떻게 해서든 이 말만은 당신께 하지 않으려고 그 술집에서 당신께 발광을 부렸던 겁니다. 당신을 발로 차고, 당신의 가슴에 주먹질을 하고, 당신을 짓이기면서 대들었던 건 막 새 나오려고 하는 이 말에게 지지 않으려고 그랬던 겁니다. 창백하게 앉아만 있던 당신. 제가 이 말을 하고 나면 당신이 저를 질책하셨던 대로 당신과의 연을 남녀 간의 어지러운 정쯤으로 수긍하는 셈이 되겠지요. 그래서 하지 못한 말이 있어요.

지금도…… 이 말을…… 당신께…… 꼭, 해야 하는가……?

몇 번이고 제 자신에게 되묻게 됩니다. 내뱉고 말면 어쩌면 당신은 저를 증오할지도 모르겠어요. 사랑이 증오로 바뀌는 건 순식간의 일이지요. 당신이나 저나 그 두 감정이 서로 동시에 마음을 언덕삼아 맞대고 있지 않았나요?

Yesterday, I had a phone call from the other, young woman, would you believe it. The husband of that woman has left home for good, she tells me. He is going to divorce his wife and live with her. She even sounded proud! On hearing of the death of Chŏmch'on-daek the thought of that woman's aerobics... together with Chŏmch'on-daek's skipping swept over my heart... why?

I don't know when her skipping came to an end. All I knew was that since those days she had lived alone and now has died an old woman.

My beloved.

If you were like yesterday, you would stare hard into my face and say, "What have these women got to do with you? However amazing a past they may have had, it is theirs, not yours. As they are, it is not even particularly remarkable, so why do you keep looking into it? Only the life that you have earned yourself is important. Most people try to ward off and get away from the past, but you don't. It is odd, I must say. Young as you are, you doggedly try to push yourself back into it..."

There is something that I didn't dare to tell you yesterday. It felt like an act of pulling down the two of us together from somewhere and chucking us

다만 그동안 우리는 아주 위태롭게 사랑 쪽을 지켜 왔던 것 아닌가요? 어쩌면 제 이 말이 증오 쪽으로 당신 마음을 돌려놓을지도 모르겠습니다.

당신, 저를, 용서하세요.

이 말을 하지 않으면, 제 말이 모두 당신에게 오리무중일 것만 같으니. 점촌 아주머니를 혼자 살게 한 점촌 아저씨의 그 여자, 그 중년 여인으로 하여금 울면서 에어로빅을 하게 만든 그 여자…… 언젠가, 우리 집…… 그래요, 우리 집이죠…… 거기로 들어와 한때를 살다 간 아버지의 그 여자…… 용서하십시오…… 제가…… 바로, 그 여자들 아닌가요?

사랑하는 당신.

노여워만 마세요. 저는 그 여자를 좋아했습니다. 어쩌면 이 세상에 태어나서 처음으로 느낀 타인에 대한 사랑이었는지도 모릅니다. 그 여자가 남겨 놓은 이미지는 제게 꿈을 주었습니다. 제가 더 자라 학교에 다니게 되었을 때, 새 학기가 시작되고 나면 담임 선생님은 개인 신상 카드를 나눠주며 기록을 해 오라 했습니다. 그 개인 신상 카드 어느 면에 장래 희망을 적어 넣는 칸이 있었지요. 장래 희망. 저는 그 칸 앞에서 오빠 볼펜을 손에 쥐고 우두커니

into a pit. By all means I had to guard myself from telling you this. It was this that made me go on the rampage at the tavern. I kicked you, pummelled your chest and stomped on you... all this to fight back the words on the verge of slipping out of my lips.

You sat throughout pale, my darling. To have told you this must be the same thing as admitting, as you would put it, that I regard our relationship as no more than a trivial love affair. That's why I could not tell you.

Even now... must I... tell you... this? I keep asking myself this question. Once I have it out, you may hate me. For love to change to hatred takes but a moment. For you as well as me, would you not agree, these two feelings have existed at the same time in our hearts like the two sides of a hill and we have delicately kept to the side of love so far. I fear that what I am about to say may turn your mind over to the other side.

Darling, please forgive me for saying this. If I don't, nothing I say to you will ever make sense. Chŏmch'on uncle's woman who caused Chŏmch'on aunt to live alone, the young girl who made the middle-aged woman choose the tearful aerobics...

앉아 있곤 했어요.

……그 여자처럼 되고 싶다…….

이것이 제 희망이었습니다. 그 여자가 우리 집에 와서 심어 놓고 간 일들을 구체적으로 간추려서 뭐라고 써야 하나? 이것이 고민스러워 우두커니 앉아 있곤 했던 것입니다. 끝끝내 그걸 간추릴 단어를 저는 그때 알고 있지 못했어요. 그래서 다른 아이들처럼 어느 때는 은행원, 어느 때는 학교 선생님, 어느 때는 발레리나라고 써 넣을 수밖에 없었습니다만, 그렇게 표현되는 그때그때의 희망들은 모두 그 여자를 지칭하고 있었습니다.

그 여자는 우리 집에 살기 시작한 지 열흘 만에 큰오빠만 빼고 모두를 끌어안아 버렸어요. 백일이 갓 지난 울 줄밖에 모르던 그네 속의 막내 동생까지요. 그 여자의 손이 닿아 제일 먼저 화사해진 게 아기그네였습니다. 어머니께서 그네 밑에 깔아 놓으셨던 닳은 아버지 내복을 그 여자는 맨 먼저 걷어냈어요. 그리고는 어디서 났는지, 잔꽃이 아른아른한 병아리색 작은 요를 깔았어요. 그네 하면 어린애의 울음소리와 그 닳아빠진 내복이 생각났었는데, 그 여자는 뽀송한 기저귀가 옆에 있는 환한 병아리색 이미지로 바꿔 놓은 거예요. 그 여자는 아이를 울리지 않았어요.

and how long ago was it? Here... yes, at our own house... my father's mistress who came and lived here for a time and went away... please forgive me... am I not precisely one of those women?

My beloved.

Don't think badly of me. The fact is that I loved her, maybe it was the first love I had ever felt for another human being since my birth. The images she left gave me my dreams.

At school, at the beginning of each term the form teacher used to hand out cards to be filled in—the personal information card. There was a section asking about my hopes for the future. Hopes for the future? I used to stare blankly at that box, with my brother's ball pen poised in my hand... to become like her... was indeed my hope for the future. How to summarize and itemize all the things she had brought into our house and left behind—it was an agony. So I sat there looking blankly at the paper for a long time. I could never find the right words to describe them. I ended up by doing what other children did. I put down sometimes a bank clerk, other times a teacher or a ballerina, but each time the hope expressed in these words referred to her.

During the ten days of her stay in our house, she

처음에 어머니 젖이 아니라, 느닷없이 우유병이 들어오자, 칭얼칭얼대는 것도 그 여자는 잘 해결했죠. 그 여자는 서슴없이 자신의 젖을 꺼내 아이에게 물렸다가 아이가 빈 젖임을 막 알려는 참에 살며시 젖병 꼭지를 밀어 넣었어요. 그러면 어린애는 손가락을 그 여자의 젖 위에 얹어 놓고 꼼지락거리면서 순하게 그 젖병 꼭지를 빨았습니다. 아이는 그 여자 등 뒤에서 해사하게 웃었고, 그 여자는 아이를 업고 음식들을 만들었습니다. 도마질만은 무척 서툴렀습니다만, 그 여자는 도마질을 잘하는 어머니 맛하고는 다른 맛의 음식을 만들어 냈습니다. 밥을 한 가지 해내도 그 여자가 한 밥은 표가 났습니다. 어머니의 밥은 한 가지였지요. 보리와 쌀이 섞인 쌀보리밥이 그것입니다. 어머니께선 미리 보리를 삶아 놓았습니다. 그러면 밥뜸을 안 들여도 되었거든요. 그것도 한꺼번에 며칠 것을 삶아 두셨어요. 논일 밭일에 언제나 어린애가 있던 집이어서 보리 삶는 시간도 아끼셔야 했던 분입니다. 삶아 놓은 보리를 밑에 깔고 쌀을 한 켠에 얹어서 지은 다음에 나중에 밥그릇에 풀 때 서로 섞는 것입니다. 어머니는 언제나 아버지 밥그릇과 큰오빠 밥그릇은 따로 챙겨 두셨다가, 그 두 밥그릇엔 쌀밥이 더 들어가게 섞으셨지요. 그 여자는 보

won the hearts of all our family including the hundred-day old crying baby, except for my eldest brother.

The first fabulous change to come from the touch of her hand was the baby's cradle. Mother had laid father's old underwear at the bottom of it. She removed it and put in its place, wherever she had got it from, a chicken-yellow blanket with hazy little flowers. My image of a baby cradle that had been of worn-out underwear and a baby crying in it, changed into the cheerful colour of a chick with dry, clean nappies beside it. She did not leave the baby to cry. She managed him very well at first with his fretting over the bottle that had replaced his mother's breast. Without hesitation she popped her nipple into his mouth and as soon as he was beginning to notice it was empty, gently slipped the bottle between his lips. Contentedly he sucked it, while his hand rested on her breast, his little fingers wriggling. Strapped on her back he smiled brightly, and carrying him in this way, she cooked all sorts of things. To be sure her chopping was clumsy, but she created food that tasted vastly different from that of my mother, the skillful chopper. Even her way of cooking rice was different. Mother's rice was

리를 미리 삶아 놓지 않았습니다. 밥을 지을 때마다 그때그때 보리를 먼저 물에 불려 놓았다가 돌확에 갈아 지었습니다. 그리고 알맞을 때에, 밥뜸 불을 밀어 넣어 줘서 밥은 늘 고슬고슬했어요. 그 열흘 중의 어느 날은 보리를 다 빼고 쌀에 수수를 넣은 밥을 지었으며, 또 어느 날은 입에 쏙쏙 들어가기 좋을 만큼의 크기로 만두를 빚어서 밥 대신 만두국을 내오기도 했습니다. 지금도 환하게 생각납니다. 그 여자는 마치 우리 집에 음식을 만들러 온 여자 같았어요. 멥쌀보다 색이 뽀얀 찹쌀로 둥근 경단을 만들어 내놓기도 했고, 곤로를 마당에 내놓고 진달래 화전을 부쳐 주기도 했어요.

찹쌀로는 그저 시루에 찰떡만 쪄 주셨던 어머니.

그 여자는 어느 날 대추 밤을 썰어 넣어 찹쌀 약식을 해 주었죠. 찹쌀의 그 끈기가 그렇게 맛있는 것인 줄 그 여자를 통해 알았습니다. 다듬잇돌에 밀가루를 밀어 칼국수를 만들어 내왔을 때, 그 국물 위에 화려하게 얹혀진 고사리와 계란 고명들이 지금도 눈에 환합니다. 어머니가 쑤어 준 풀떼죽하고는 확실히 달랐지요. 맛이야 어떻든 그 폼이 말이에요. 그 여자가 묵었던 그 열흘 동안 도시락을 싸 가는 오빠들이 부러웠습니다. 어머니께서 싸 주시는 도시

always the same—rice mixed with barley. Mother boiled the barley beforehand. In that way cooking time would be saved. She would boil several days' portion of barley all at once and kept if for a few days using a bit of it at each day. Working in the paddy as well as the dry fields as she was, and having a baby on top of it all, she had to save time wherever she could, even in boiling barley. She would put a layer of the pre-boiled barley at the bottom of the pot and some rice on one side, and when it was cooked, mixed them together. She kept my father's bowl and my eldest brother's separate from the rest and put larger portions of rice in them.

This woman did not pre-boil the barley. She would soak it well in water beforehand, then rubbed it in a stone mortar and cooked it with rice adjusting the fire high and low according to the need, and taking time. The result was perfectly cooked rice.

Out of the ten days she stayed at our house, one day she produced rice with sorghum in place of barley, and another day soup with dumplings stuffed with meat and vegetables, just the right size to pop into your mouth.

Even now I remember it all so vividly. It was as if

락 반찬 그릇은 들여다볼 것도 없었지요. 과묵하던 큰오빠까지도 또 염소 똥이야, 할 만큼 검정 콩자반이 주를 이루었고, 집에서 담근 단무지, 된장 속에서 묻어 놓았던 오이장아찌, 어쩌다 밥물 위에 얹어 쪄낸 계란찜이었으니까요. 그 여자의 음식 만드는 멋은 특히나 오빠들 도시락에서 이루어졌습니다. 맨밥에 반찬 싸 가는 것이 도시락인 줄만 알았는데, 그 여자는 당근과 오이와 양파를 종종종 썰어 밥과 함께 볶아서 그 위에 계란 후라이를 얹어 주었습니다. 푸른콩, 붉은콩, 강낭콩, 검정콩 등을 섞어 설기떡을 만들어서 밥 반쪽 콩설기떡 반쪽을 싸 주기도 했습니다. 아버지께 쇠고기를 사 오라 하여 양념해서 볶고, 시금치도 데쳐서 기름에 볶고, 달걀도 풀어 몽올몽올하게 볶아서, 이 세 가지를 밥 위에 덮어 주기도 했습니다. 꽃밭, 꽃밭을 연상시키더군요. 어느 날은 큰오빠가 무슨 밥을 좋아하느냐고 물어서 주먹밥을 좋아한다 했더니, 다음 날 그 여자는 콩을 넣은 주먹밥을 자그만자그만하게 만들었어요. 먹을 때 밥이 손에 달라붙지 않도록 깻잎으로 하나씩 싸서 도시락을 채웠습니다. 온 식구들이 함께하는 끼니때는 아버지께 혼이 날까 봐 숟가락을 드는 시늉은 했지만, 도시락은 들고 갔다가도 고스란히 되가지고 오던

she had come to our house just to cook. Using sticky rice, whiter and more glutinous than ordinary rice, she produced *kyŏngdan*, and made pancakes of azalea petals over a small stove brought out into the yard.

All that my mother could do with sticky rice was to steam it into *ttŏk*. One day this woman made *yaksik* with sliced jujubes and chestnuts in it. I learned for the first time that sticky rice could taste really good.

Once she rolled out dough on the laundry slab and produced bowls of hand-made noodle soup. I can see even now, laid on the top of the bowl, the beautiful garnish of fern shoots and yellow and white stripes of fried eggs, so different from the mushy lumps of flour mother used to make—not just the flavour, but the style!

During those ten days, I envied my brothers for the packed lunches they took to school. The boxes prepared by mother had been quite unremarkable. Mostly the side dish was black beans cooked in soy sauce, so much so that even my taciturn brother would grumble, "It's goat's droppings again." At other times, it was salted radish or cucumber and very occasionally steamed egg.

큰오빠는 그날 등교하다 말고 다시 돌아왔습니다. 그리고는 마루 끝에 그 도시락을 팽개치고 달아났어요. 아무래도 그걸 가지고 학교까지 갔다가는 먹고 싶은 유혹을 물리치기가 힘들 거라는 생각이 들었었던 거겠죠. 그 여자는 아버지가 술 드시고 온 다음 날은 밤새 읍에 나갔다가 온 것인지, 싱싱한 소 피를 삶아 뚝뚝 잘라 넣은 선짓국을 끓여 내놓았습니다. 그 국물 위에는 어슷어슷 썰어 넣은 생파가 듬뿍 얹혀져 있었지요. 그 여자가 부쳐 주던 두릅적이며, 그 여자가 무쳐 주던 미나리나 물쑥나물 한 접시가…… 아, 그 취수제비까지 생각나는 걸 보면, 아버지로 하여금 그 여자를 사랑하게 한 게 그 음식들이라고 생각하는가 봅니다, 저는. 국수에 고명을 넣은 그 여자와, 넣지 않는 나의 어머니. 글을 더 쓸 수가 없군요. 바깥에서 아버지께서 우사에 가 보자고 부르십니다.

다시 펜을 들면서 저는 참담함을 느낍니다. 이 글의 시작은 당신께 제 마음을 전해 드리고자 하는 것이었는데, 저는 아무래도 이 글 끝을 못 낼 것만 같습니다. 당신과의 약속 날은 이제 나흘 남았습니다. 당신이 이곳을 다녀가신 뒤에 또 사흘이 흐른 것입니다. 당신에겐 제가 당신 앞

The art of her cooking showed most brilliantly in the packed lunches for my brothers. The idea of a packed lunch had been until then some rice with one kind of side dish. She overturned it. She would chop up carrot, cucumber and onion, fry them with the rice, pack it into the box and cover it with fried egg. Sometimes she would mix ground rice with green beans, red kidney beans and black beans, steam it into bean-cakes, and fill one half of the lunch box with this and the other half with plain rice. At other times she asked father to get some beef, marinated and fried it, then fried some spinach, scrambled some eggs and put these three things over the packed rice. A flowerbed—it made me think of a flowerbed.

One day, she had asked me what my eldest brother liked best for his lunch and I told her rice-balls. Next day she cooked the rice mixed with beans and pressed it into bite sized balls. To prevent bits of rice sticking to your hands as you ate them she wrapped each one in perilla leaves, and packed them in the box. My brother, who still refused to eat anything she cooked, would just pretend to pick up the spoon in fear of provoking father's anger, while for his lunch, he would take it to school only to

에 나타나는 일은 없을 것이다, 해놓고, 어느 순간의 저를 보면 당신에게 이미 가 있는 것만 같습니다. 나흘 후면 정말 당신은 이 땅에 없으십니까? 제가 당신을 따라나서지 않는데도 당신은 떠나시는 겁니까? 저와 함께하기 위해서 당신은 이곳을 떠날 생각을 했었습니다. 당신의 두 아이와 당신의 아내와 그리고 당신의 사십 평생이 있는 여기를 말이에요. 무슨 영화 속에서나 벌어질 법한 일이 당신과 저 사이에 생긴 것이지요. 당신의 그 결정이 저는 고맙기만 해서 따라나서겠다고 했습니다. 당신이 두고 가는 것에 비하면 제 것은, 아무것도…… 아무것도 아니라고 여겼기에. 여기에 올 때만 해도 당신이 마음을 바꾸시면 어쩌나, 당신을 못 믿어서가 아니라 당신이 저보다 더 어려워 보여서요. 그런데 저는 지금 못 가겠다 하고, 당신은 날을 받아 놓고 있다니.

바깥에서 아버지께서 부르신다고 펜을 놓고서 한 줄도 이어 쓰지 못한 지난 사흘 동안, 저는 눈먼 송아지를 돌봤습니다. 어머니께선 지난 사흘 동안 방에서 일어서시면 상가에 가셔서 송아지 돌보는 일은 자연스럽게 제 몫으로 남겨지더군요. 점촌 할머니는 어머니에게 평생을 춥게 살다 가신 분, 가여우신 분입니다. 말씀은 안 하시지만, 어

bring it back untouched. On that particular day, he turned back on his way to school, threw the lunch box on the verandah and ran away, probably because he knew that it would be too hard to resist the temptation to eat it.

When father came home in the night after drinking, she had *sŏnji* soup, known to be good for a hangover, ready for the morning. She must have been to the town during the night to get some *sŏnji*—it was the congealed blood of a freshly slaughtered cow. The bowl of soup with thick slices of *sŏnji* was generously sprinkled with pieces of spring onion. The pancakes of *turŭp* leaves, the dishes of dressed water parsley and mugwort that she made for us... ah, how vividly I remember the arrowroot dumplings. When memories of these dishes come back to me with such a strong feeling, I wonder whether it had not been her cooking that made father love her. A woman who garnished the noodle soup and my mother who did not. I must stop now. My father is calling me from outside. He wants me to go to the cow shed with him.

As I pick up my pen again I feel a dark despair. My first intention was to explain my feelings, but

머니께서 나이 차도 꽤 나는 점촌 할머니와 늘 가까이 지내셨던 것은 언젠가 당신이 열흘 남짓 겪은 경험으로 그분의 쓰라리고 고됨을 이해하시기 때문인지도 모릅니다. 오늘은 상여가 나가는 날이라 아버지께서도 나가셨습니다. 우사에서 눈먼 송아지의 입술을 제 어미의 젖꼭지에 대 주고 도랑가로 나와 철길 너머를 바라봤는데, 점촌 할머니 떠나시는, 모습이…… 하얗게…… 멀리 보이더군요. 여기 올 땐 그저 봄이 왔었을 뿐인데, 상여 나가는 마을 앞산에 눈길을 줘 보니, 연푸름이 짙어지고, 늦봄 철쭉이 만발해서는 그 자리에 불을 지를 듯, 붉었어요…….

우사의 어미 소는 제 새끼가 눈먼 것을 아직은 모르는 모양입니다. 젖을 놓친 송아지가 다시 젖을 못 물고 배를 더듬거리면, 뒷발을 들어 송아지의 엉덩이를 때립니다. 어리광 그만 부리라는 뜻이겠지요. 하긴 송아지 자신도 자기가 눈먼 걸 모를 테지요. 태를 끊었을 때부터 칠흑이었을 테니 세상이 그런 줄, 그런 줄로만 알겠지요. 대신에 제 어미의 기척에 예민합니다. 옆에 있던 어미가 부시럭거리면 저도 부시럭거리고, 제 어미가 일어서면 저도 이 엉차, 일어섭니다. 아무것도 보지 못하는 눈은 너무나 맑습니다. 그 눈에 제 눈을 헹궈 내고 싶을 정도로요. 헹궈

now I feel as though I shall never finish this. Four more days to go before the day of original promise. Three days have gone since you were here. Even though I told you that I would not appear before you, at some moments I feel as if I am already there with you. So will you really be gone from this country after four days? Will you leave even if I do not join you? The idea of leaving was so that you could be with me. Your two children, your wife and your forty years' of life—to leave it all. What happened between you and me is something that can happen only in a movie. I was overwhelmed by your decision, that's why I so readily agreed to go. Compared to what you were leaving behind, I thought, mine... was nothing. Even when I came here I was afraid lest you changed your mind, not because I doubted you but because your choice was harder than mine. And now look, I am saying I cannot go and you are waiting with the date fixed!

For the last three days, after putting down my pen at my father's call from outside, while I have not been able to add a line to what I had written, I have tended the blind calf. Because mother had to go to the house of mourning everyday as soon as she was up, it naturally became my job.

낸 후엔 곧 제 눈앞도 칠흑이 되어서 당신이 다시 와도 알아보지 못했으면…….

오늘도 더는 못 쓰겠군요. 이 심정으로 어떻게 제가 왜 당신을 만나지 않겠다는 것인가에 대해서 쓴단 말인가요!

……그 여자같이 되고 싶다…….

그 희망은 그 여자가, 아기그네에 병아리색 이불을 깔아서거나, 숙주나물에 청포묵을 얹어줄 줄 알았던 여자여서만은 아닙니다. 그 여자는 오빠들 속에서 섞여 있는 저를 알아봐 줬던 것입니다. 위로 오빠 셋만 있는 집의 여자아이란, 어디에 있어도 보이지 않게 마련이지요. 다 자라서는 모르겠지만 서로 그만그만하게 자라고 있는 중에는 말이에요. 어머니 말씀에 의하면 제가 태어났을 때 아버진 마을 사람들에게 막걸리를 내셨답니다. 아들만 있는 집에 양념딸이 났다고 반가워하시면서요. 하지만 곧 저의 존재는 집 안팎에서 뒤처졌습니다. 그렇다고 해서 특별히 어머니나 아버지가 저를 어떻게 대했다는 뜻은 아닙니다. 그냥 내버려 둔 거지요. 제가 뒤란에서 울고 있거나, 제가 앞집 아이가 신은 색동 코고무신을 신고 싶어 애달아하는 것, 제가 오빠가 입던 스웨터는 입고 싶어 하지 않는 마음들을 다 내버려 둔 거지요. 맞습니다. 그 여자가 제 인상

For my mother, Chŏmch'on-daek was a pitiable woman who had lived a cold life. She does not say this in words, but I guess the reason for her close association with Chŏmch'on granny despite a large age gap between them was that she understood, through her own experience of those ten days, the pain and hardship the old lady had suffered.

It is the burial today, so father has gone over there too. After putting the blind calf's lips to its mother's teat, I went to the brookside and saw, across the railway, the departing figure of Chŏmch'on granny... her funeral bier... white in the distance. When I first arrived, spring had only just come, but as I turned my gaze to the hills opposite, toward which the funeral procession was heading I noticed the pale green had turned darker and the late rhododendrons in full bloom, were ablaze... so red...

The cow in the shed seems to be unaware that her calf is blind. When he drops the teat and unable to recover it, fumbles about her belly with his mouth, she gives him a kick on his buttock with her hind leg as if to say "Stop playing the baby!" I suppose the calf himself would not know that he is blind for from the moment of his birth the world must have been pitch dark, and he must think it is normal.

에 각인될 수 있었던 것은 그 여자가 저를 알아봐 줬기 때문이에요. 당신을 처음 만난 그날, 느닷없이 내리는 비를 맞고 버스를 기다리고 있는 여러 여자들 중에서 감기를 앓고 있는 여자가 바로 저라는 걸 알아줬던 것처럼 말이에요. 상습범이라고 생각 마십시오, 독감을 앓고 계시는 것 같아서.

그 여자는 무슨 까닭인지 틈만 나면 칫솔질을 했어요. 밥 먹은 후에 하는 것은 당연한 일이고, 큰오빠가 방문을 꽉 잠그고 나오지 않을 때도, 큰오빠의 사주를 받은 둘째 오빠가 아줌마, 술집에서 왔지? 라고 말했을 때도, 그때 국민학교에 막 들어간 셋째 오빠가 한밤중에 엄마 내놓으라고 발 뻗고 숨넘어갈 듯이 울어 젖힐 때…… 그 여자는 칫솔에 흰 치약을 많이 묻혀 오랫동안 칫솔질을 했습니다. 역시 큰오빠의 사주를 받은 제가 뒤따라 다니며, 그 여자의 등에 업힌 어린애를 꼬집어 울릴 때도 말이에요. 어느 날 그 여자는 빨랫줄에 방금 물에서 막 헹궈 낸 흰 기저귀를 널다 말고 칫솔에 치약을 묻혔어요. 저는 그때 마루에 걸터앉아 물끄러미 그 여자를 바라보고 있었습니다. 그러다가 문득 저도 그 여자처럼 이를 닦아보고 싶어졌어요. 칫솔통에서 제 칫솔을 꺼내 저도 치약을 묻혔죠.

But he is very sensitive to sounds and movements his mother makes. When she shifts he moves too, and when she stands up he also, with some effort, gets up on his legs. His unseeing eyes are so beautifully clear that I feel like rinsing out my eyes with them. After washing them out I would only see darkness before me and would not know you even when you came to see me....

I cannot write any more today. In this state of mind how can I try to explain the reasons why I shall not see you again!

...To become like that woman... this dream of mine was born not simply because she had laid a yellow blanket in the baby's cradle, or because she had the delicacy to serve bean sprouts with bean jelly. It is because she noticed me amongst my brothers. A girl in a family with three elder boys is bound to be neglected. It maybe different when they are grown up, but when young they look all alike. When I was born, according to my mother, my father treated the villagers with *maggŏli* wine. He had been pleased that in a family of boys only, a girl was born to be an ornament. But soon my existence was slighted inside as well as outside of

저는 그때껏 그 여자가 칫솔질만 하고 있는 줄 알았는데, 아니었어요. 그 여자는 울고 있더군요. 벌써 그때 눈이 시뻘게져 있었어요. 그 여자는, 우는 모습을 제게 보인 것이 민망했는지, 오른손으로 닦도록 해, 하면서 왼손에 쥐고 있는 제 칫솔을 오른손에 쥐어 주었습니다. 칫솔을 입에 집어넣고 건성으로 쓱쓱거리고 있는데, 그 여자는 칫솔을 쥔 제 손을 자신의 손으로 싸쥐더니 입 속에서 칫솔을 둥글게 둥글게 돌려 닦는 법을 가르쳐 주었습니다. 이래야 잇몸이 안 다쳐. 저는 그때 잇몸이 뭔지도 모르는 때였습니다. 다만 그 여자가 잇몸이라고 발음했을 때, 그 여자의 눈물이 제 손등으로 툭 떨어져서 오랫동안 기억하는 것입니다.

써 내려 온 글을 읽어 보니 혼란스러움으로 머리가 빠개지는 것만 같습니다. 지금 제가 당신에게 무슨 짓을 하고 있나요? 혹시 저는 당신에 대한 변심을 열심히 둘러대고 있는 중은 아닐까요? 그렇지 않다면 왜 이렇게 마음이 조급한 것입니까? 느낌들이 마구 엉켜서 어디서부터 이야기를 계속해야 될지를 모르겠습니다. 그리고 제 기억이 어느 정도 정확한 것인지도.

the house.

I don't mean that my parents particularly ill-treated me or anything like that. They just let me be. They took no notice of me if I cried in the backyard; fretted for a pair of shoes trimmed with bright colours on the toes like those of the girl in the house opposite; or wished not to wear the sweater handed down from my brother.

That's right. The reason why that woman is so deeply imprinted within me is because she gave me recognition, just as you did on the first day I met you. Out of all those women waiting in the bus queue, soaked by an unexpected downpour of rain, you recognized me as the one suffering from a cold. As you held an umbrella over my head you said, "Please, don't think I am a habitual womanizer. It's just that I can see you have a bad cold."

For some reason that woman used to brush her teeth whenever she had a spare minute. Doing it after every meal was a matter-of-fact routine. When my eldest brother locked himself in his room and refused to come out; when at his instigation my second brother said to her, "Aunt, you've come from a drinking house, haven't you?"; and when my third brother who had just started school then cried as if

당신과 알고 지냈던 지난 이 년 동안 저는 이 마을을 단 한 번도 찾지 않았습니다. 단순한 우연일까요? 아닌 것만 같습니다. 이곳에 와서 맞부딪칠 얼굴이 저는 두려웠던 게지요. 당신을 사랑하는 일이 자랑할 만한 일이 아니라는 것을, 제 자신이 알고 있었던 겁니다. 그러면 저는 지금, 당신 말처럼 당신과의 관계가 불륜이었음을 나 스스로가 인정하면서, 자랑할 만한 사랑을 하겠다, 그래서 당신을 잊어야겠다, 이런 말을 하고 있는 중이란 말입니까? 사실은 그렇게 간단한 것을 이렇게 복잡하게 얘기하고 있는 건가요? 제가?

그…… 여자, 그 여자는 왜…… 다시 집을 나갔을까요?

당신을 믿어요.

그 여자가 아버지께 한 말 중에 지금껏 기억에 남는 말은 유일하게 이 한마디입니다. 그 여자의 당신이었던 아버지를 믿었으면서, 그 여자는 왜 그렇게 도망치듯 집을 나갔을까요. 어머니 때문이었을까요? 그 여자는 어머니가 잠시 다녀간 다음 날 집을 나갔습니다. 그렇다고 어머니께서 그 여자에게 무슨 대거리를 한 것도 아니에요. 어머니는 오셔서 그 여자가 업고 있는 막내 동생을 받아 안았을 뿐입니다. 지치셨던 것인가? 아니면 그것이 어머니께

his breath would give out in the middle of the night, his legs stretched out and screaming "Bring back my mother!..." At such times she would lavishly dip her brush into the white tooth power and brush her teeth for a long time. Also, when urged by my big brother, I followed her around and pinched the baby strapped on her back to make him cry...

Once I saw her dipping her brush into the toothpaste, in the middle of hanging out white nappies she had just rinsed. I was sitting at the edge of the verandah as I stared at her. Suddenly an urge to brush my own teeth like she did came to me. I picked up my toothbrush and put some powder on it. I had thought she was just brushing her teeth, but no, she had been crying. Her eyes were already red. As if shy to have been found crying, she came over to me and said, "Hold the brush in your right hand," as she removed it from my left hand and put it into my right. I popped it into my mouth and moved it in any odd way and she took my hand in hers and directed it to show me how to brush my teeth properly, turning it in a circular movement. "In this way, you don't hurt your gums," she said. I didn't know what gums were at that time. What carved that

서 견디시는 방법이셨는가? 어머니는 그저 말없이 아이를 받아 안고서 젖을 먹이셨어요. 어머니 젖은 퉁퉁 불어서 푸른 힘줄이 불끈불끈 솟아 있었습니다. 어린애가 한참을 빨고 나니까 그 힘줄이 가셨습니다. 봄볕이 내리쬐는 그 봄날에 마루에 앉아 젖 먹이는 어머니와 그 곁에 서서 그저 마당만 하염없이 내려다보고 있는 그 여자라니. 어머니는 젖을 빨다 잠이 든 어린애를 포대기에 싸서 마루에 눕혀 놓고, 토방에 쭈그리고 앉아 있는 제게로 오셨어요. 그때, 제 손에 그 여자가 만들어 준 설기떡이 쥐어져 있었던가 말았던가. 그 풍경을 생각하니 눈물이 번지는군요. 어머니께서는 한 칸씩 위로 채워진 제 윗옷 단추를 다시 끌러서 제대로 채워 주시고, 벗어 놓은 제 신발에 담긴 흙부스러기를 털어내 주시고서는 물끄러미 제 눈을 들여다보시더니 다시 가셨어요. 삼십 분도 채 안 되는 시간이었지요. 단지 그뿐이었는데 그다음 날 그 여자는 나갔습니다. 뒤란 마당까지 깨끗이 쓸고 난 다음이었어요. 실에 꿴 감꽃을 주렁주렁 목에 매달고 있는 제 손을 그 여자는 잡아당겼어요.

점심상은 방에 차려 놨어. 동생은 방금 잠들었구. 깨어나면 기저귀 속에 손 넣어 봐서 오줌 쌌거든 얼른 갈아

moment in my memory was a teardrop that fell on my hand at the same moment as she said "gums."

I have just read through what I have written so far. My head feels as if it will burst with confusion. What is this that I am doing to you now? Am I just eagerly making excuses for my change of mind? If not, why am I so flustered? All sorts of thoughts are so jumbled up that I don't know how to carry on with this. Besides, I am not even sure whether my memories are correct.

During the last two years while I was with you I never once thought of returning to this village. Was that mere chance? No, I don't think it was. I was afraid of the faces that I would have to see here. I was conscious that my love for you had no honour. As you would put it, am I trying to say that I see our relationship as immoral and so I must seek an honourable love and must forget about you—is that what I am doing? In fact, it is as simple as that but I am putting it in such a complicated way—is that what it is?

That... woman... why did she... have to leave?

"I trust you." Out of all the words she spoke to father, this is the only one I remember. While she

줘…… 그러구 아버지가 날 찾거든 모른다고 해라. 언제 나갔는지 모른다고 해, 알았지?

어느새 그 여자는 처음 우리 집에 왔을 때 입었던 저고리와 치마로 바꿔 입고 있더군요. 분을 엷게 바르고 있어서 얼굴빛이 더욱 뽀얬습니다. 처음 우리 집에 온 날 저를 어지럽게 하던 그 은은한 향내가 그 여자에게서 다시 났어요. 큰오빠가 무서워 다락에 숨었다가 거기서 잠이 들어 버려 굴러 떨어진 뒤로는 맡지 못했던 냄새였습니다. 어느 날 그 여자가 제게 책을 읽어 주고 있는데, 어느 대목이 재미있어서 막 웃고 있는데, 큰오빠가 들어왔어요. 큰오빠는 저를 노려보더니 다시 방문을 쾅 닫고 나가 버렸죠. 저녁에 큰오빠에게 혼날 일을 생각하니 무섭기만 했어요. 그래서 숨은 곳이 불이 안 들어서 쓰지 않고 있던 빈방의 다락이었지요. 그 다락은 경사진 좁은 계단을 몇 개 통과해야 올라갈 수 있게 되어 있었습니다. 저는 그곳에서 저녁밥도 안 먹고 잠이 들어 버렸어요. 다락에서 잠이 든 줄도 모르고 잠청을 하다가 밑으로 굴러 떨어져 내렸지요. 제가 쿵, 떨어졌을 때 달려온 이는 그 여자, 그 여자였습니다. 그 여자는 제 엉덩이를 세게 때렸어요.

집을 나가 버린 줄 알았잖니 이것아!

trusted my father, her beloved, which is what you are to me, why did she slip out of the house as if she was running away? Was it because of my mother? She went away a day after mother had briefly called. It was not as if mother made a scene with her or anything like that. Mother came in and all that she did was to take the baby off the back of the woman.

Was my mother very tired? Or was this her way of enduring? Without a word, she just held her baby and suckled it. On her breast, swollen as if to burst, bulged blue veins, and they subsided after the baby had sucked vigorously for a long time. On a spring day, with sun light pouring down, mother sitting on the edge of the verandah suckling her baby, and that woman standing beside her endlessly staring at the ground...

Mother wrapped the baby, fallen asleep while suckling, in his blanket, laid him on the floor, and came to me squatting in the back room. I am not quite sure whether I was holding in my hand a piece of *ttŏk* that that woman had given me. As I think about the scene tears rise to my eyes. Mother undid the front of my jacket where the buttons had been put through the wrong holes, did them up

그 여자는 거의 울 듯했어요. 저 때문에 말이에요. 제가 집에 있는지 없는지도 모르고 다른 식구들은 다 깊은 잠에 빠져 있었는데, 아버지까지도 주무시고 계셨는데, 그 여자는 그때껏 마루에 앉아 있었던 겁니다. 그때, 저는 그 여자는 악마다, 라고 했던 큰오빠의 말이 다 틀린 말이라고 생각했습니다.

그 여자에게서 느껴지던 어질머리가 그 다음으로 다 사라, 사라졌어요. 그런데 그 여자는, 그 향내를 다시 풍기면서 그 파란 페인트칠 대문을 빠져나갔습니다. 저는 그 여자가 처음 우리 집 대문을 열고 들어왔을 때 앉아 있었던 그 마루에 앉아서 집을 나가는 그 여자를 바라봤어요. 역시 환한 햇살 속에서요. 눈물이 날 것 같기도 하고, 어서 아버지가 오셨으면 하는 마음이 생기기도 했어요. 그때 제 눈에 띈 게 칫솔통이었습니다. 그 속엔 그 여자의 노란 칫솔이 그대로 있었어요. 저는 키를 세워 그 칫솔을 꺼냈어요. 그리고 마구 달려갔습니다. 마을을 빠져 나가는 길은 큰길과 소롯한 수리조합 둑길이 있었는데, 그 여자는 수리조합 길로 걸어가고 있더군요. 저는 정신없이 뛰어 그 여자 뒤에 섰어요. 제가 뛰어오는 소리가 들렸음직도 한데 그 여자는 그저 여민 치마 한 끝을 싸쥐고 뒷모

again, picked up my shoes and shook off the bits of soil inside, blankly looked into my eyes, and then went away. It all took less than half an hour.

That was all that happened and the next day the woman left. It was after she had done all her work, finishing off with sweeping up the backyard. I was wearing around my neck a string of threaded persimmon flowers. She came to me and took my hands in hers.

"Lunch is ready in the room, and your baby brother has just fallen asleep. When he wakes up feel his nappy with your hand, and if it is wet, change it for him at once, won't you? And when your father asks for me just tell him you don't know where I am. Tell him you don't know when I went out, do you understand?" I found her changed into *Chŏgori* and *ch'ima*, she had worn when she first came. Lightly powdered, her face was even milkier. The faint scent that had made me giddy on her first day wafted from her. I had not smelt it since my fall from the attic where, afraid of my big brother, I had taken refuge.

One day, she read me a story book. It was so funny at one point that I was laughing my head off when he came into the room. He glared at me, slammed

습만 보이더군요. 그 여자 뒤에 바짝 서서 그 여자의 치마를 잡아당겼습니다. 그제야 그 여자는 돌아다봤습니다. 아, 그때 그 여자의 얼룩진 얼굴이라니. 눈물에 분이 밀려나서 그 여자 얼굴은 형편없었어요. 칫솔을 내밀자 그 여자는 웃을락말락 했습니다. 그 여자는 내 손에 있는 칫솔을 가져가는 게 아니라, 손을 그대로 꼭 잡았습니다. 그리고선 제 눈을 깊게 들여다봤어요.

나…… 나처럼은…… 되지 마.

그 여자는 한숨을 포옥 내쉬었습니다. 그리고선 곧 저를, 저를 떠밀었어요. 어서 가 봐, 동생 잠 깨겠다아.

오늘은 비가…… 명주실 같은 저, 봄비……가

자꾸만 바깥을 내다보게…… 귀…… 귀 기울이게 해요. 방금 저는, 아버지와 저 속을 쏘다니다 왔어요. 들과 산과 빨래터를요. 산등을 따라 죽 이어지는 봉우리들까지 오르락내리락했습니다. 산쑥은 물론이요, 연둣빛 능선에는 벌써 산수유가 피어서 가는 비에 파들거렸어요. 실비라서 우산 쓸 생각은 하지도 않았었는데, 돌아올 때는 제 머릿결이, 아버지 어깨가 축축했어요. 새를 잡으러 나갔었습니다. 단 한 마리도 못 잡았으니 잡으러 나갔다기보다 쫓

the door and went out. The thought of the torment I would get from him in the evening scared me, so I hid in the wall attic in a spare room. To reach the attic I had to climb a few steep and narrow steps. I fell asleep there without any supper and unconscious of my whereabouts I turned over in my sleep and tumbled out onto the floor. At the thud of my fall, she was the one who came running. She slapped my bottom hard and said, "You, silly girl, I thought you had run away." She was almost in tears. All because of me. While other members of the family, including my father, not caring whether I was home or not, had gone to sleep, she had sat on the verandah until then. It was then that I knew that my brother's words "She's a devil" were all wrong.

The giddiness caused by her appearance had long been gone. And now again, with the same scent, she went out through the blue painted gate. As I had sat on the verandah watching her open the gate and come in the house on her first day, now, sitting in the same spot I watched her walk out. The sunlight was as bright as it had been before. I felt as if I would burst into tears and hoped that father would come home quickly.

At that moment my eyes caught sight of the tooth-

아다니다가 왔다는 게 맞는 말이겠군요. 아버지께서 오후 한 차례씩 엽총을 어깨에 메고 들과 산으로 사냥을 나가신다는 건 이번에 처음 안 일입니다. 어머니 말씀에 의하면 벌써 이 년째 습관처럼 하시는 일이라는데요. 하긴 저는 지난 이 년 동안 여길 오지를 않았었으니까요. 사냥이라고 써 놓고 보니 말이 크군요. 그 큰 말의 울림 속에서 원시적인 게 섞여 있네요. 이젠 사냥이 딱히 동물을 잡는다는 뜻으로만 쓰이지는 않습니다만, 제게 와 닿는 사냥이라는 말의 울림은 아직 원시적입니다. 저 먼 부족이나 더 멀리 씨족들의 무리지어 살았던 때로 생각이 거슬러 갑니다. 그들은 이런 상상을 하게 해요. 길도 없는, 아니 어느 곳이나 길이 되는 산자락 밑이나 들판 한가운데에 짚으로 엮어 만든 수십 채의 움막집, 그 움막집 앞엔 늘 타고 있는 불기둥, 그 불길은 더 깊은 상상을 불러일으킵니다. 움막 집집마다에 한 가족들이 보입니다. 남편과 아내와 여러 아들과 딸들이 그 속에서 서로 엉켜 삽니다. 그들은 거의 알몸입니다. 햇빛에 그을린 살갗은 희지 않습니다. 그들의 머릿결은 검고 윤기가 흐르며 숱이 많습니다. 종아리와 팔뚝엔 알통이 불쑥 나와 있으며, 가족들 모두 엉덩이가 바람이 빵빵한 공처럼 둥글어서, 걸을 때마

brush holder with her yellow brush in it. Standing on my toes, I got it down and ran out. Of the two roads going out of the village, the main road and the quieter one along the embankment, she was walking on the latter.

I ran like mad and stopped just behind her. I thought she would have heard my quick footsteps but, with one end of her wrap-round skirt held tightly in her hand, she would not turn round. I ran up closer and tugged at her skirt. Only then did she look back. Ah, the smudged face that I saw before me. Her tears had messed up her make-up, and her face looked terrible. When I thrust forward her the toothbrush she almost smiled. Instead of taking it she held my hand firmly. Then she looked deep into my eyes. "Don't... don't become... like me... whatever you do..." She released a deep sigh and pushed me backwards. "Run home quickly, your brother might... wake up."

Today, it rains... silky... spring rain... it makes me look out again and again... ears... makes me listen. I've just come back after rambling around in that rain with my father through the fields, hills and across the streams. We went over the hills up and

다 누가 발로 차 내는 듯이 실룩거리는 겁니다. 그런 그들이 모두 함께 사냥을 나갑니다. 짐승을 동그랗게 둘러싸 몰려면 숫자가 많을수록 좋습니다. 그때, 여자들은 누구나 자식을 덩실덩실 여럿 낳고 싶어 했을 거라고 저는 생각하는 것입니다. 그들은 산맥같이 얽혀서 사냥해 온 멧돼지나 오소리, 때때로 곰을 그 움막집 앞에 불길에 굽는 겁니다. 사냥이란 모름지기 이런 것이라야 하지 않을까요.

말을 이렇게 해 놓고 보니, 방금 다녀온 아버지와의 새 사냥은, 사냥이라 하기가 민망하군요. 그냥 새잡이라고 해 두지요. 처음부터 아버질 따라나설 생각이 있었던 건 아니었습니다. 마당으로 나 있는 창문으로 아버지께서 스쳐 지나시기에 저는 의아한 마음으로 창을 통해 아버질 따라가 보았습니다. 아버지의 차림이 특이했거든요. 아버진 털이 보숭보숭하고 각이 진 밤색 모자를 쓰고 계셨는데, 갈색 가디건에 검정 목티를 받쳐 입고 계셨는데, 헐렁한 상아색 골덴 바지에 벨트를 꽉 조인 차림이셨는데, 무릎까지 올라오는 장화를 신고 계셨는데, 맑게 쏟아지는 봄볕을 뚫고 가시는 그 모습이 꼭 사냥꾼 같았습니다. 아버지께서 헛간 벽에 걸어 둔 엽총을 꺼내 어깨에 메셨을 때, 그 엽총은 완벽한 소품이 되더군요. 분장을 마친 아버

down, one after another. Along the dark green hill tops, mugwort was in bloom and already the dogwood too. They were delicately quivering in the fine rain. As the rain was so light we did not bother to put up our umbrellas but by the time we turned homeward my hair and father's shoulders were quite wet.

We had gone out to shoot birds. As we didn't hit any I should say we had been chasing them around. I've only just discovered that my father goes hunting every afternoon into the fields and hills with a shotgun on his shoulder. According to mother, it has become a habit over the past two years. No wonder then that I didn't know, as I haven't been home for two years.

"Hunting" is an exaggeration. There is an echo of something primeval in that big word. Nowadays hunting does not always have to mean killing animals but to me it has a resonance from the primeval past.

My fancy takes me back to the times when tribes or clans lived a communal life. I can visualize a scene. At the foot of a hill or in the middle of a plain—there is no road, or rather, anywhere is road—stand lots of huts made of mud and straw

진 대문을 나가셨습니다. 그때, 저도 방문을 열었지요. 처음엔 그저 어리광쟁이 어린애처럼 앞서가시는 아버지 장화 발짝에 제 발짝을 갖다 대며 뒤따랐습니다. 한쪽으로 우리 부녀의 그림자가 나란히 함께 걷고 있었습니다. 바람이 불기 전까지 아버진 꽤 늠름해 보였습니다. 바람이 불자 상아빛 골덴 바지가 아버지 몸에 달라붙는 거였지요. 저는 뒤따르던 걸음을 멈추었습니다. 바지 안에 아버지 몸이 과연 있는 걸까? 믿어지지 않게 바람만 쿨렁거리는 것이었습니다. 제 기척이 끊기자, 아버진 뒤돌아보셨습니다. 털모자를 쓴 아버진 제가 당신 가까이 다시 다가설 때까지 기다려 주셨습니다. 아버지가 저렇게 작아지시다니, 털모자 밑으로 보이는 뒷목덜미까지 흰머리가 수북했습니다. 귀밑으론 탄력을 잃은 살이 처져 겹을 이루고 있는데 거기까지 무수히 핀 검버섯이라니. 저 깊은 곳에서 고함이 터져 나왔어요. 당신을 향해 지르는 것도 같았고, 어쩌면 삶을 향해 내질렀는지도 모르지요. 연민에 휩싸여 아버지 골덴 바지 뒷주머니에 제 두 손을 포옥 집어넣었습니다. 갑자기 뒤에서 잡아당긴 셈이라 아버진 순간 몸의 중심을 잃으시고서 뒤에 서 있던 제게 쏟아지셨습니다. 주머니 속에서 만져지는 앙상한 아버지의 엉치뼈.

with an ever-blazing column of fire in front of each hut. At the thought of fire I am carried further by my imagination. Each hut is occupied by a family—husband and wife and many kids, closely knit together. All of them are almost bare with sun-tanned skin, never white. Their hair is black, glossy and thick. Their muscles bulge on their arms and legs. Their buttocks are as round as inflated balls so that when they walk they bounce as if they'd been kicked.

They go hunting all together. The larger the number of the family the better for encircling the animals. At such times, I imagine, the women would wish to have many more children.

The game they caught thus in a pack as strong as mountains—a boar or a badger or sometimes a bear—are brought home and roasted on the fires in front of their huts.

After talking in this way, I feel shy to call the little venture I've had with my father 'hunting.' Let me change it to 'shooting birds.'

It was not that I had intended to go with him. I happened to see him passing the window. He was dressed in a peculiar fashion.

He was wearing a chestnut brown angular cap of

아버진 오늘 콩새 한 마리도 잡지 못했습니다. 들에서도 산에서도 빨래터에서도, 허심해 보이는 산비둘기를 향해 나무 뒤에 거의 나무처럼 붙으셔서 겨냥하시기도 했지만 매번 헛방이었습니다. 그러실 때마다 아버진 저를 바라다보며 겸연쩍게 웃으셨어요. 아버진 제 앞에서 날아가는 새를 멋지게 쏘아 맞추고 싶으셨을 거예요. 하지만 오늘 사냥은 아버지 마음대로 되지 않았습니다. 사냥 얘기를 하다 보니 당신에게서도 언젠가 사냥에 대한 얘기를 들었던 기억이 나는군요. 당신은 아프리카 어느 마을 원주민들에 대한 얘기를 하셨습니다. 그들의 선조들은 기마민족이었다고 했습니다. 그들은 말을 타고 밀림을 달려 사냥을 해서 물물교환을 하며 후손들을 번창시켰다고 했습니다. 밀림은 길이 되고…… 밀림은 농사 지을 땅이 되고, 원주민 장정들은 더 이상 사냥을 할 수 없게 되었다, 했습니다. 그런데도 그들은 밤낮으로 창과 활을 손으로 만든다면서요. 마을 여자들은 해가 뜨기도 전에 들에 나가서 구슬땀을 흘리며 식구들의 식량을 일구며 하루해를 보내는데, 장정들은 동이 트자마자 떼를 지어 황야로 나간다지요. 창을 들고 활을 메고 말이에요. 그들의 하는 일이란 황야로 나가 온종일 서성거리다가 돌아오는 것이라

fluffy woollen material, a brown cardigan over a black crew-neck shirt, a loose pair of corduroy trousers in ivory with a belt tightly round his waist, and knee-length boots. In the clear spring light, I thought, he looked like a hunter. The shotgun he took off the wall of the shed and slung over his shoulder gave the perfect finishing touch. His kit thus complete, he went out of the gate. It was then that I came out of my room. At first I followed him childishly as I put my feet into his footprints. The shadows of father and daughter walked in parallel to one side of us.

Until the wind rose, father looked quite handsome. When it blew, his ivory trousers clung to his body. I stopped my game of following in his footprints. Was there really a body inside his trousers? They looked incredibly loose, I thought. When my footsteps stopped he turned and waited until I came close.

How he has shrunk. Beneath his woollen cap, the hair on his nape was white. Below his ears lustreless flesh hung loose in folds, with numerous dark spots. A scream burst out from deep within me, a scream that could be aimed at you, or maybe at life itself. Overwhelmed by compassion I thrust my

고 했습니다. 이젠 함성을 지르며 사냥할 짐승도, 피 흘리며 싸워야 할 다른 부족도 없는데, 그들은 그들 선조들이 해 왔던 사냥과 전쟁의 습속을 버리지 못해 온종일 지평선을 바라다보다 돌아온다지요. 당신께 그 얘기를 들었을 때 저는, 정말이에요? 하며 웃었습니다. 그런데 지금, 그들이 나의 오라버니들같이 느껴지는 건 웬 까닭일까요? 떼를 지어 웅성웅성 온종일을 서성거리다가, 붉디붉은 황혼을 등에 지고, 공허하게 마을로 돌아오고 있는 그들 속에서 제가 제 아버지를 보았다고 하면 당신, 당신은…… 웃겠지요.

당신과의 약속 시간은 이제 이 밤만 지나면 다가옵니다. 당신은 정말 떠나실 건가요? 그렇다면 저는 지금 무엇을 참고 있는 것일까요? 당신이 떠나 버리면 제가 참고 있는 것은 모두 부질없는 일이 되어 버립니다. 오늘 하루는 종일 중얼중얼거렸어요. 당신에게 달려가려는 쪽으로 마음이 바뀌려 할 적마다, 저는 스쳐 간 당신과의 기억들이 모두 나쁜 것이었다고, 속삭이고 속삭였어요. 그래도 불쑥 열이 났고, 당신에게 가야지, 잠깐씩 가방을 챙기기도 했어요. 행여 당신이 저를 데리러 오지 않나, 여러 번 대

hands into his trouser pockets. At the sudden pull from behind, he lost his balance and tilted back on to me. The thinness of the hip bones that I could feel from inside his pockets!

Today father did not bag as much as a sparrow in the fields, or in the woods or by the river. From behind a tree as he stood close against it, he aimed at some careless wood pigeons but it was all misses. Each time he looked at me with a grin. He would have liked to show me how smartly he could hit the target but it did not work out.

Talking of hunting brings a memory of what you once told me. It was about the life of some African natives. Their ancestors were horse riders. They used to gallop through the forest, hunting and bartering their catches, bringing up their children in this fashion.

The forest became roads,... the roads became farmland. The men lost their hunting ground. But they continue to produce hand-made hunting tools. While the womenfolk rise before dawn, go into the plantations and work all day, sweat pouring down their faces, to provide food, the men go out at dawn in groups to the desert, carrying their spears, bows and arrows. They spend the day just walking

문을 내다보기도 했어요. 어렵게 견뎌 내고 찾아온 이 밤. 이미 당신에게로 가는 기차는 끊겼는데, 내일 새벽 첫차는 몇 시던가, 저는 지금 그걸 헤아려 보고 있으니, 이 밤이…… 무섭습니다. 산버찌를 먹으면 눈물 날 일이 생긴다고 제가 산에서 버찌를 따 오면 어머니는 마당에 쏟아 버리시곤 하셨죠. 어머니께서 말씀하시는 눈물 날 일이 이것인가요? 어머니 몰래 먹은 산버찌가 지금 저를 울리는 것인가요?

아버지는 그 여자를 정말 사랑했습니다. 아버지는 그 여자가 저녁 설거지를 마치고 들어오면 손크림을 발라 주셨지요. 왜 그것만이 유난히 생각나는지 모르겠어요. 저는 아버지의 손과 그 여자의 손이 전혀 스스럼없이 서로 엉키는 것이 꼭 꿈결인 것만 같았어요. 손크림을 통에서 찍어 내 그 여자의 손에 골고루 펴 발라 주실 때 아버지의 그 환한 모습을, 그 이후에도 그 이전에도 본 적이 없는 것 같아요. 손. 그래요. 그 시절의 아버지와 그 여자는 손을, 둘이서 있을 땐 늘 손을 잡고 있었던 것도 같습니다. 그것이 손크림을 발라 주는 한 컷으로 합쳐져서 생각나는 모양입니다. 손잡는 일이 뭐 대수겠습니까만, 저는 지금도 아버지 손을 꼭 잡아 보지 못한걸요. 당신의 손. 저도

around on the plains only to come back in the evening. No animals to charge with battle cries, or rival tribes to fight and spill their blood, but unable to quit the habits of their forefathers, they spend the day in the desert looking at the horizon.

When you had finished, I said, "Is it true?" as I smiled incredulously. Now I feel a sort of kinship with them—why is it? If I now said I could see my father amongst them, a group of men standing around all day amidst their own murmuring and droning, coming home with hollow hearts and a blood red sunset behind them... you would... laugh.

The hour of our promise comes after tonight. Will you really go? If you do, what am I enduring this for? Once you have gone, all my endurance will have been for absolutely nothing. I have been mumbling to myself all day. Every time my mind was on the verge of change, I whispered again and again that all that passed between you and me was wrong. Suddenly I was running a fever. I said I must go to you and even started packing. Perhaps you were coming to take me away with you—I kept looking out at the gate.

Tonight has come after a hard day's endurance.

당신 손을 참 좋아했습니다. 언젠가 운전하는 당신의 손등에 제 손을 갖다 대며, 당신 손이 참 좋아요, 제가 했던 말 기억하십니까. 당신 손엔 늘 결혼반지가 끼어 있었어요. 그걸 볼 때마다 쓰라림이 제 가슴을 훑고 지나갔지만, 당신은 당신 자신이 결혼반지를 끼고 있는지조차 모르시는 듯했어요. 그 반지는 그저 당신의 일부분처럼 거기 끼어 있었습니다. 그래도 당신에 대한 어찌할 수 없는 슬픔이 마음에 휘몰아칠 때마다 당신의 손을 찾아 쥐었습니다. 그러면 서러운 마음이 가라앉곤 했어요. 저는 당신에게 반지 말고 다른 것을 받았다고, 설령 그 받은 것 때문에 제가 그 속에 갇혀 죽는다고 해도…… 제겐 그것만이 유일하다고 그렇게 저를 달래고는 했……

사랑하는 당신!

……여기에 오지 말았어야 했습니다. 이 마을은 저를, 저 자신을 생각하게 해요. 자기를 들여다봐야 하다니요? 싫습니다! 저는 지쳤어요. 그 여자가 떠나던 날, 그 여자에게 칫솔을 건네주던 때, 그때 저는 그 여자와 무슨 약속인가를 했다고, 지금이 그 약속을 지킬 때라고…… 이 생각을 당신이 있는 그 도시에서 제가 어떻게 해낼 수 있었겠어요. 그 여자가 그때 떠나 주지 않았다면 우리들은 어

The last train has gone. What time is the earliest one in the morning, I am trying to work it out. Tonight... it frightens me.

"Eat wild cherries and you'll have something to weep over," Mother used to say as she threw away the cherries I brought home. Is this what she meant? Is it the cherries I ate behind her back that is making me weep now?

My father really loved that woman. When she came in after finishing the washing-up from supper, he used to put cream on her hands. I don't know why I remember this with particular vividness. The way their hands clutched with such naturalness was as if I was seeing them in a dream. The luminous look on his face as he took the cream from the jar and spread it over her hand—I have never seen anything like it before or after.

Hands... those hands. When they were together, I seem to remember, they always held each other's hands. These scenes join up into that one vivid picture of his putting cream on her hands. Some may say holding each other's hands is nothing much. I don't remember ever holding my father's hands tightly.

Your hands. I really liked them. Do you remember

떻게 됐을까? 어머니와 우리 형제들은? 그 여자가 떠나 주지 않았어도 과연 우리 가족들이 지금 이만한 평온을 얻어 낼 수 있었을까? 여기에 오지 않았으면 이런 생각들을 하지 않았을 거예요!

그 여자가 우리 집을 떠나고 나서 아버지는 오랫동안 술에 취해 계셨습니다. 아무 데나 마구 토해서 부축할 수도 없었어요. 예전이나 지금이나 아버지 인생에서 가장 환했던 때는 그 여자가 있던 그 시절이라고 생각됩니다. 하지만 사랑하는 당신, 그것만이 우리 삶의 다라고 여길 수 없는 불편한 부분이 이 마을에는 흐르고 있어요. 여기에 오지 않았으면 모를까, 이미 저는 그 불편함에 의해 끔찍해져 있는 겁니다…… 여기에, 여기에 오지 말았어야 했어요. 그것밖에 달리 제 마음을 어떻게 쓴단 말인가요. 양잿물을 들이마신 것같이 쓰라리게 당신이 그리워요.

지금…… 막, 당신과의 약속 시간이 지났습니다. 순간, 숯불이 엎혀지는 듯한 뜨거움이 가슴에 치받쳤습니다. 이 치받침은 매우 익숙한 것입니다. 당신을 사랑하는 동안 나의 하루는 이 치받침으로 시작해서 이 치받침으로 끝나곤 했으니, 나에겐 오히려 동무 같은 감정이에요. 당신을

me once saying when you were driving, as I put my hand on yours, "I love your hands?"

You wore your wedding ring always. Each time my eyes caught it a pain darted through my heart, but you didn't seem to be aware that you had it on as if it was a part of you.

Even so there were times I was swept away by unbearable sorrow about you. When this happened I would grab hold of your hand until the sorrow subsided. I had received from you something dearer than a ring, I thought. Even if I were to be buried, and should die because I received it from you... it was all that mattered to me... that is how I used to comfort myself.

My beloved.

...I shouldn't have come here. This village makes me think about myself. To look into one's insides! I hate it. I am exhausted. As I had made a promise to that woman when I gave her back her toothbrush on the day she left, and as the time has come for me to keep that promise... I could never have thought like this in the city where you are.

If she hadn't gone as she did what would have become of us... my mother and my siblings?

만날 때의 반가움, 당신의 얼굴을 만져 보고 싶은 수줍음, 당신이 없는 동안의 그리움, 누구에게도 당신을 자랑할 수 없어서 곧잘 얼굴이 발그레해졌던 무안함까지 그 치받침 속에는 섞여 있습니다. 그렇게 익숙한 것이지만, 방금 것의 치받침은 한 세계를 무너뜨리느라고 쉬이 가라앉지 않을 것입니다. 따지고 보면 세상에는 가까이 가선 안 될 게 얼마나 많은지요. 그 안 된다는 것 때문에 또 얼마나 애가 타는지요.

가슴을 방바닥에 대고 엎드려 있었어요. 오늘 이 치받침은 이렇게 삭혀질 수 있는 것이 아님을 알지만, 달리 삭힐 방법이 제겐 없습니다. 당신은 정말 떠날 것인가? 한 시간 전부터 저는 시계를 들여다보고 여기 있었습니다. 시침이 오후 세 시를 막 지나갈 때, 그토록 간절히 붙잡고 있던 당신과의 끈을 놓아 버린 셈입니다. 제가 놓아 버린 한 끝은 지금 여기에서, 당신이 잡고 있는 거기 한 끝을 향해 날아가고 있는 중인가요? 당신은 지금 시계를 들여다보며 거기 서 계신가요?

거의 한 달을 글을 못 썼습니다.

당신과의 약속 시간이 지나고 나니, 맥이 풀려서 다시

Without her leaving us could we have lived in as much peace and comfort as we have done? If I hadn't come, I would never have thought of this.

After she left, my father took to drink for a long time. He threw up anywhere and everywhere, and it was impossible to keep him in an upright position. I believe that the brightest time of his life, whether in the past or the present, was when he had her.

But my beloved, I have an uncomfortable train of thought flowing in my heart that love is not the whole of one's life. If I hadn't come here, it could have been different, but as it is I am quite troubled and intimidated by this discomfort. I shouldn't have come, that's all I can say. My longing for you makes me very sore as if I have taken caustic acid.

Now... just at this moment... the hour of our promise has passed. Momentarily an intense heat surged up in my heart as if burning charcoal has been put on it. I am quite familiar with this upsurge. While I was in love with you my days would start with it and end with it, so it is rather an intimate feeling like an old friend.

The happiness of the moment of seeing you, my shyness with the desire to feel your face, the long-

펜을 들 수가 없었습니다. 아니, 이 글이 목적을 잃어버린 탓도 있었겠지요. 표적이 당신이었는데, 어느새 제 글은 무목의 화살이 돼 버린 것입니다. 당신이 제게 주었던 즐거움들이 고통이나 슬픔, 허무로 바뀌어 가는 것을 속수무책으로 바라봐야 했던 처음 며칠은, 마비된 듯이 누워만 있었습니다. 이젠 당신을 다시 볼 수 없다 생각하니, 제가 무슨 엄청난 일을 저질러 놓은 것 같았어요. 제 마음속의 회오리가 다시 시작된 것만 같더군요. 제게 있어 어떤 중요한 것을 내놓아도 이제는 돌이킬 수 없다니, 저는 벼랑 앞에 선 것같이 아찔했어요. 그 절박한 마음이 어느 날인가 당신에게 수화기를 들게 했습니다. 당신은 정말 떠났는가? 정말 가 버렸는가?

전화는 당신 아내가 받더군요. 평화로운 목소리였습니다. 당신 이름을 또박또박 대며 바꿔 달라고 했을 때만도, 당신은 정말 가 버렸는가? 가슴이 불덩이 같았지요. 당신 아내 옆엔 당신의 아이가 있었던가 봅니다. 당신 아내가 당신 아이에게 속삭이는 소리가 들리더군요.

은선아, 아빠에게 전화 받으시라고 해.

저는 가만히 수화기를 놓았습니다. 당신, 딸 이름이 은선이였군요. 은선이. 그애의 이름을 서너 번 불러 봤어요.

ing for you when you are away and the embarrassment of not being able to proudly to talk about you to friends that made me blush... these are all included in that upsurge.

Even though I am so used to it, the present bout is not likely soon to subside because it includes the task of tearing a certain world.

Come to think of it, there are so many things one must not go too close to in life. How much agony comes from defying that prohibition.

I have been lying face down on the floor. Today's upsurge, I am well aware, is not likely to pass in this way, but I have no other way. Will you really go?

I had been looking at the watch for an hour. When the watch hands pointed at 3p.m. it was as if I let go the cord between you and me that I had held tightly as if my life depended on it. The free end of the cord—is it flying towards the other end held by you over there? Are you standing there now looking at your watch?

For nearly a month now I haven't been able to write. Once the time of our promise was past I felt so weak I could not pick up the pen. That's not all.

나물 같은 이름. 어디에 고여 있었는지 눈물이 오래 쏟아졌어요. 은선이.

방문을 열어 보니 마당의 감나무에 감꽃이 하얗게 돋아나고 있었습니다. 갑자기 바깥으로 나오자 환한 햇살이 너무나 어지러웠어요. 대문까지 나오는데 서너 번은 무릎이 꺾였어요. 회복기 환자의 걸음걸이가 아마 그런 것이겠지요. 방 안에 제가 누워 있는 동안 봄 농사 일은 이미 시작이 돼서, 들판엔 수건을 쓴 여인들이 모판에 볍씨를 뿌리고 있었어요. 갓 돋아났던 파란 쑥들은 너무 웃자라 쇠어 있었고, 팔레트 속의 물감들 같던 꽃들도 그 사이 덧없이 지고, 어느새 푸른 잎새들이 그 꽃자리를 차지하고 있더군요. 걸어 다니는 동안 제 마음이 조금은 평온해져서, 다시 집으로 돌아올 때는 봄꽃들은 무엇이 급해 잎도 돋기 전에 저희들이 그리 피어났다가 저리 속절없이 질까? 하는 생각도 했습니다. 볕 바른 골목에서는 두 여자 아이가, 한때는 뭉게구름 같았으나 너펄너펄 져 버린 누런 목련 잎을 찧어서 소꿉놀이를 하고 있었어요. 피는 모습을 봤으니 지는 모습도 봐야 하는 거겠지요.

제 얼굴은 지금 볕에 그을려 가무스름해졌습니다. 일손이 귀한 곳이라 더 이상 방 안에 있을 수만은 없어서 어머

It was partly because this letter had lost its purpose. You had been the target and now my writing has become an aimless arrow. For the first few days when helplessly I had to see the happiness you gave me turn into pain, sorrow and futility, I lay in bed all the time as if paralyzed. The thought that I should never see you again made me feel as if I had committed some terrible offence. I felt as if the whirlwind would rise up again in my heart. Never to be able to reverse it even if I gave up the most valuable thing in my life... as if standing before a precipice, I was giddy. That desperation made me pick up the phone one day. Did you really leave? Have you really and truly left and gone?

Your wife answered the phone. It was a peaceful voice. Even as I asked for you, speaking your name with clear articulation, I was wondering if you really had gone. My heart was on fire. She must have had your daughter close by! I heard her say in a whisper, "Ŭn-son, go and tell daddy to take the phone." I quietly put the receiver down. Darling, so your daughter's name is Ŭn-son. I repeated it several times. It makes me think of some tender plant. Wherever they had all been stored, tears came flowing down for a long time. Ŭn-son.

니를 거들기 시작한 일이 이제 제법 익숙해졌습니다. 그래 봐야 새참 준비하는 일이나, 고구마순 모종하는 일 정도뿐이지마는요. 그래도 눈먼 송아지는 제가 우사의 문을 열면 제 발짝 소리를 알아듣고 몸을 일으킵니다. 이곳에 와서 가장 친해진 대상입니다. 아버지께서,

첨엔, 눈먼 놈이라…… 기가 막히더마는 무던하다. 먹고 잠 잘 자니 살이 몽실몽실 올랐어야, 제값 받기엔 별 무리 없겄다! 하실 땐 그 송아지를 짐승으로만 생각하시는 아버지 마음이 야속하게 느껴질 정도로 친해졌어요. 어머니께선 본격적으로 모심기가 시작되기 전에 어서 다시 그곳으로 가라 하십니다. 고생한다고요. 무엇을 어떻게 할 것인지는 아직 정하지 못했습니다. 이 평온을 얻기까지 제가 한 일이란, 이 글을 쓰다 말다 한 것뿐이지요. 이 편지를 처음 쓰기 시작했을 땐 처음으로 제 인생을 제가 조정하는 듯한 기분이 들기도 했답니다. 이토록 힘든 것을 모르고서 저는, 이 마을에 내려와 제 마음결에 일어난 일들을 당신께 글로 쓸 수 있다고 믿었나 봅니다. 지금 생각해 보니 이번 일도 제 인생을 제가 조정한 게 아닌 듯싶습니다. 저는 이 글을 마무리 짓지도 못했는데, 당신은 거기에, 나는 여기에 있잖아요. 어제는 빨래터에서 이 사

When I opened the door the persimmon tree was covered in white flowers.

Going out suddenly I found the sun too dazzling. My knees went weak several times as I walked to the gate. A convalescing patient must feel like that, I suppose.

While I was lying indoors, the spring farm work began. In the paddies women with white cloths on their heads were sowing the rice seed. The tender mugwort that I had seen earlier had grown rank and flowers that had looked like paint on a palette had all been replaced by green leaves.

As I walked about I gained some calm, and on the way home I even thought about the spring flowers. Why were they in such a hurry to come out even before the leaves only to fall so soon? In a sunny spot in the alley two little girls were playing house as they pounded yellowish, fallen petals of magnolia that had once been like clusters of cloud. We saw it when it was in bloom, so must we see its fall?

Tanned by the sun my face is now quite dark. Knowing that there is a shortage of workers I could no longer stay indoors, so I began to give my mother a hand and I have got the hang of it now. I don't do much—only preparing the snacks between

실이 어찌나 낯설은지 물밑을 오래 들여다봤습니다…… 화르르 흩어지는 송사리 떼들…… 그래도 몇 년 만에…… 숨을…… 깊은…… 숨을…… 들이쉬는 것 같습니다.

이 글을 당신께, 이미 거기 계시는 당신께 부칠 필욘 이제 없겠지요. 그래도…… 까치, 까치 얘기는 쓰렵니다. 이 마을에 온 첫날 그렇게 부지런히 둥지를 틀던 까치가 새끼 세 마리를 낳았더군요. 옥수수 씨를 심을 구덩이를 파느라고 산밭에 다녀오다가 봤어요. 먼발치라 자세히는 못 봤지만, 그중 어느 새끼도 눈먼 새는 없는 듯했어요. 세 마리 모두 다 어미가 먹이를 물어오니까 서로 밀치며 소란스럽게 한껏 입을 벌리는데, 입속이 온통 빨갛…… 새빨갰어요. 그 새끼 까치들이 날갯짓을 할 무렵이면 이곳도, 여기 이 고장에도 초여름, 여름……이겠지요. 저기 저 순한 연두색들이 짙어, 짙어져서는 초록이, 진초록이…… 될 테지요. 그때쯤엔, 은선이라는 당신 아이 이름도 제 가슴에서 아련해질는지, 안녕.

『풍금이 있던 자리』, 문학과지성사, 2003(1992)

meals and transplanting the seedlings of sweet potatoes.

The blind calf in the shed recognizes my footsteps and when I open the door he gets up on his feet. He is the closest acquaintance I have since I came here. My father said, "When it turned out to be blind... I was troubled to know what to do at first... but he is doing fine. He feeds well and sleeps well, so he's quite plump. There will be no problem about it fetching the right price." I was quite put out by such a remark from father who seems to regard him only as an animal. I am fond of that calf.

Mother says I should go back to the city before the planting out of the rice seedlings starts in earnest. She thinks I am having a hard time here. I have not made up my mind about what I ought to do. All I have done to regain my composure is to write this letter, off and on.

When I started writing it, I felt as though I was getting control of my life. Not aware of its difficulty, I believed that I could tell you all that happened and what was going on in my mind since I came here. Come to think of it, this time again I was not the one in control of my life. I have not even concluded this letter, yet you are there and I am here. I went to the stream where we do the washing. The idea is still unfamiliar to me. I looked at the bottom of the stream for a long time... still, for the first time... a breath... a deep breath... I am taking a deep breath for the first time in years.

There is no need to send this letter to you now. Nevertheless... the magpies... I must write about the magpies. The pair eagerly building a nest on my first day must have hatched three chicks. I went to the hill side plot to prepare holes for planting maize. On the way home I saw them. From a distance I could not see in much detail but it looked as if there was not one blind chick among the brood. When the mother brought them food the three of them fought their ways pushing each other aside as they opened their beaks wide. The insides of their mouths were red... crimson.

By the time the chicks are ready to fly, early summer... the summer will be here. The greenery over there that is now pale will be darkening. By that time, will the name Ŭn-son, the name of your daughter, have grown fainter in my heart? Adieu.

Translated by Agnita Tennant

해설

Afterword

연민과 배려의 시선

정홍수 (문학평론가)

신경숙의 단편 「풍금이 있던 자리」(1992)는 여성 화자 '나' 가 이 년간 지속해 온 불륜의 사랑을 끝내기로 결심하기까지, 마음의 바닥에서 일어나는 하염없는 상념을 상대방 남자에게 보내는 편지 형식으로 고백하고 있는 작품이다. 남자는 가정을 버릴 각오를 하고 두 사람의 외국행을 제안해 놓은 상황이지만, 고향 마을로 내려온 '나' 는 어린 시절의 기억을 떠올리며 외면하고 싶었던 마음의 진실과 대면한다. 그리고 그 기억의 한가운데에는 어머니의 자리를 빼앗고 '나' 의 가족 속으로 들어왔던 아버지의 여인, '그 여자' 가 있다. 어린 화자를 온통 사로잡아, "그 여자처럼 되고 싶다"는 생각을 품게 만들었던 세련된 여인의

A Compassionate and Considerate Eye

Jeong Hong-su (literary critic)

"The Place Where the Harmonium Was" (1992) is a short story written by Shin Kyung-sook in the form of a letter sent by the narrator to her lover. In this letter, she expresses her deepest thoughts about her two-year illicit relationship with him, explaining why she has decided to end it. Having chosen to leave his wife and family, her lover plans to go on a trip abroad with her. However, when she returns to her home-town, she has a flashback from her childhood and comes face to face with a truth she has avoided. At the center of her childhood memory is "the woman," her father's lover who drives her mother out and takes the mother's place in the fam-

향취를 더듬어 가는 가운데, '나'는 어느새 자기 자신이 '그 여자'의 자리에 와 있음을 깨닫게 된다. 그 자리는 결국 누군가를 아프게 만드는 자리이다. 비슷한 기억들의 내습과 함께, '나'는 이제 묻지 않을 수 없다.

> "점촌 아주머니를 혼자 살게 한 점촌 아저씨의 그 여자, 그 중년 여인으로 하여금 울면서 에어로빅을 하게 만든 그 여자…… 언젠가, 우리 집…… 그래요, 우리 집이죠…… 거기로 들어와 한때를 살다 간 아버지의 그 여자…… 용서하십시오…… 제가…… 바로, 그 여자들 아닌가요?" (44쪽)

이기적인 사랑의 욕망에 갇혀 있던 자아가 타자에 대한 연민과 배려라는 더 넓은 자아의 지평으로 스스로를 개방하는 이 각성의 순간은 신경숙 문학의 특별한 도덕적 자질을 상기시킨다. 연약하고 고통 받는 존재들에 대한 사랑과 돌봄의 마음, 가족적 인륜성에 대한 공감을 일깨우는 섬세하고 예민한 도덕적 자질은 초기작이라 할 수 있는 「풍금이 있던 자리」부터 최근작 『엄마를 부탁해』(2009)에 이르기까지 변함없이 확인되는 신경숙 문학의

ily. This refined woman captivates the child who says, "I want to be just like her." While reminiscing about "the woman," the narrator realizes that she is in the same position—a position that is bound to hurt someone else. Invaded by other similar memories, she cannot help but interrogate herself:

"Chŏmch'on uncle's woman who caused Chŏmch'on aunt to live alone, the young girl who made the middle-aged woman choose the tearful aerobics... and how long ago was it? Here... yes, at our own house... my father's mistress who came and lived here for a time and went away... please forgive me... am I not precisely one of those women?" (45)

A captive of selfish desires, the narrator opens herself up to a broader horizon and becomes compassionate and considerate of others. Moments of awakening like this remind us of the moral quality inherent in Shin Kyung-sook's creative work: concern for the weak and the suffering; and for the sanctity of the family. Shin's sensitivity to moral duties is one of her most distinctive traits, evidence of which can be found in almost all her works,

뚜렷한 개성이라 할 만하다. 그리고 이러한 특유의 도덕적 자질은 인간 내면의 유동하고 변전하는 움직임을 최대한 진실하고 투명하게 드러내는 섬세한 문체를 통해 아름다운 문학적 표현을 얻는다. 가령 「풍금이 있던 자리」에서 잘 드러나고 있지만, 사랑의 결단 앞에 선 화자의 한없는 주저와 망설임, 자책과 자기성찰은 그 미세한 진동까지 붙잡아 보여 주는 신경숙의 문체에 힘입어 강렬한 진실의 울림을 빚어낸다.

> "강물은…… 강물은, 늘…… 늘, 흐르지만, 그 흐름은 자연스러운 것이지만, 어찌된 셈인지 제게는 그 강과 함께 흐르기로 마음먹는 일이 제 심연의 물을 퍼 주고야 생긴 일임을, 아니에요, 이런 소릴 하는 게 아니지요, 다만, 어떻게 하더라도 제게 어쩔 수 없는 아픔이 남는다는 걸 알아 주시…… 아니에요, 아닙니다." (16쪽)

말줄임표와 쉼표, 그리고 주저하고 망설이며 이어지지 못하는 말들은 사랑의 포기를 결단하려는 화자의 마음속에서 벌어지고 있는 감당하기 힘든 곤혹과 갈등의 시간을 숨김없이 전한다. '그 여자'를 추억하는 화자의 언어가

ranging from her early story "The Place Where the Harmonium Was" to her recent novel *Please Look After Mom* (2009). Her moral principles are given beautiful expression through her exquisite narrative style that reveals the flux within the human heart as genuinely and clearly as possible. For instance, in "The Place Where the Harmonium Was," the narrator, faced with a decision, hesitates, has regrets, and reflects upon her life, an unfolding process with the resonance of truthfulness, thanks to Shin's narrative power, which is capable of registering even the slightest tremor of emotion.

"The river... river, always... always flows, and it is a natural thing, but in my case, for some reason, a decision to flow with the river came only after pouring out water from the depth within me. Sorry, that's not right. I ought never to say such things. All I ask of you is to understand that whatever I do there remains an ineradicable pain... no, I don't mean that either." (17)

The commas, dashes, hesitation, and fragmentation vividly express the unbearable agony of the dilemma suffered by the narrator who struggles to

매혹과 거부 사이에서 흔들리고, 그 흔들림의 진폭만큼 남자에 대한 결단의 마음이 유예되는 상황도 「풍금이 있던 자리」에서 전개되는 고백의 진정성을 신뢰하게 만든다. 그 유예의 시간은 불편하고 고통스럽지만 종내 진실과의 만남으로 화자를 이끈다.

그러면서 「풍금이 있던 자리」의 화자는 스스로를 질책할지언정 어떤 원망의 마음도 남기지 않는다. 남자도, '그 여자' 도, 화자의 아버지도 결국 연민과 배려의 시선에 감싸인다. 그런 점에서 소설 속에 나오는 '눈먼 송아지' 는 화자 '나' 를 포함한 그들 연약한 운명을 상징하며, 더 큰 사랑의 보살핌을 기다리는 인간 존재의 보편적 자리를 생각하게 만든다. 눈먼 아기 송아지에게 젖을 내어 주는 어미 소, 새끼 까치들에게 먹이를 물어다 주는 어미 까치의 모습은 「풍금이 있던 자리」의 아픈 사랑들이 마침내 가닿아야 할 궁극의 풍경이라고 해도 좋을 것이며, 동시에 그것은 신경숙 문학을 일구어 낸 원점의 풍경이기도 할 것이다.

bring to an end her relationship with her lover. Reminiscing about her father's woman, she oscillates between attraction and rejection. As long as this oscillation continues, her decision about the relationship is delayed, causing the reader to trust the sincerity of her confession. This uncomfortable and even painful process of deferral leads, in the end, to her encounter with the truth.

One salient point that merits attention is that the narrator in "The Place Where the Harmonium Was" holds no grudge against anyone in her life. She ends up looking with compassion at her lover, her father's woman, and her father. In that context, the blind calf in the story represents the vulnerability of the weak, including that of the narrator herself, and reminds us of the universality of the human condition which causes all of us to crave more love and care. The mother cow that suckles her blind calf and the mother magpie that fetches food for its chicks are ideals to which the suffering characters in this story are supposed to aspire. Indeed, such scenes seem to be the wellspring of Shin's creative power.

비평의 목소리

Critical Acclaim

신경숙의 소설은 세밀하면서도 따뜻하다. 우리의 가슴 저 깊은 곳에 감추어진 둔중한 통증의 정체를 드러나게 해 준다. '깊은 슬픔'이라고 이름 붙일 수 있는 그 고통은, 특유의 느리고 반복되는 문체로 인해 세밀화의 형태로 드러남으로써 삶의 아름다운 비극으로 형상화된다. 거기에는 낯익은 것을 낯설게 만드는 팽팽한 긴장과 느린 반전이 있다. 그녀의 소설은 삶과 죽음, 만남과 헤어짐, 사랑과 증오, 성공과 실패 자체를 이야기하는 것이 아니라 그것과 대면한 인간의 내면의 움직임을 이야기한다. 섬세하게 포착된 내면의 움직임은 정감 어린 작가의 목소리로 인해 도도한 흐름을 이루고 있다. 그녀의 소설의 아름다

Shin Kyung-sook writes intimate and heartwarming narratives that reveal the origin of the oppressive and profound pain in our hearts. This pain is embodied in a beautiful tragedy that Shin describes in meticulous detail with her characteristically slow and repetitive narrative style, weaving in such devices as defamiliarization, tension, and the slow reversal of time. In her stories, Shin does not discuss the ambivalence between life and death, meeting and parting, love and hatred, or success and failure. Rather, she talks about the emotional flux that takes place in our hearts when faced with such ambivalence. This flux, described with a caring

움은 강물의 도도한 흐름 앞에서처럼 감동의 탄식을 하게 한다.

김치수

신경숙의 소설은 항상 읽는 사람의 내면에 아스라한 향수를 불러일으킨다. 지나온 한 시절의 깊고도 내밀한 어둠 속에서 스쳐 지나갔던 풍경이 그녀의 소설을 읽는 동안 홀연히 재생되어 섬광처럼 눈앞에 떠오른다. 그녀가 제시한 하나의 단어, 하나의 인물, 하나의 사건이 갑자기 선적인 진행을 멈추고 아득한 기억의 저편에 자리 잡고 있는 풍경 앞으로 우리를 인도한다. 그 풍경은 당연히 명료하거나 견고하지 않고 금방이라도 지워질 듯 희미하게 흔들리고 있다. 결코 다가설 수 없는, 그러나 바로 저 앞에서 우리를 손짓하는 그리운 풍경이 자아내는 '처연한 아름다움' 혹은 소멸할 수밖에 없는 운명에 처한 존재들이 자아내는 '눈부신 연민'—아마도 이것이 신경숙의 여러 소설을 감싸고 있는 공통된 분위기일 것이다.

남진우

신경숙의 작품들은 서로 닮아 있다. 마치 꼬리에 꼬리

voice, runs through her stories, moving the reader as deeply as the rushing current of a river.

Kim Chi-su

Shin's works of fiction always conjure up a sense of nostalgia. While reading her works, scenes we might once have casually passed by are unexpectedly dredged up from the dark recesses of our memory. One word, one character, or one event suddenly stops the linear progression and nudges us to face a landscape previously shrouded in the haze of fading memories. The scenery is unclear and shaky, as if it is about to be completely erased from memory; therefore, it is impossible to get any closer. Nevertheless, this vision beckons us from afar. The "tragic beauty" of this scenery is so dear to our heart. The overwhelming compassion elicited by those fated to vanish is perhaps the common atmosphere shared by her works of fiction.

Nam Jin-woo

Shin Kyung-sook's stories are contiguous. One work gives birth to the next, which in turn gives birth to yet another, and so on, like a vine that keeps extending new tendrils and shoots. Without

를 물고, 혹은 넝쿨처럼 이리저리 다발 모양으로 뻗어나간다. 그녀의 소설은 하나하나 어떤 단절이나 비약도 없이 이어지고 이어 나간다. 실제 삶이 그러하듯 그녀의 문학도 참고 견뎌 나간다. 그녀는 자기 본질을 상실하지 않으려는, 그런 자기동일성을 세월의 흐름과 변화 속에서 끈기 있게 이어 나가려는 작가이다. 그래서 그녀에게는 존재의 끈질긴 잉걸이랄까, 존재의 존재랄까, 깊은 것이 더 깊은 무엇을 길러 내며 불타고 있는 내적인 창조의 화덕이 있다.

임규찬

신경숙 소설에서 '방'에 유폐된 채 끊임없이 소통을 갈구하는 자아를 만나게 되는 일은 어렵지 않다. '방'은 집이 아니다. 그것은 차고 달던 우물물, 파릇파릇한 싹이 돋던 텃밭, 마당가를 한가롭게 거닐던 오리와 닭들, 새카맣게 익어가던 장독 속의 간장 등, '집'을 포기한 다음에야 얻게 되는 존재의 처소다. 그런 의미에서 그것은 원초적 상실의 형이상학적인 징후이자 현대적 실존에 관한 가장 함축적인 메타포라고 할 수 있다.

신수정

any contextual disconnections or leaps, all of her works correspond with one another and together they continue to make new extensions. If life requires perseverance, Shin has been struggling not to lose the source of her literary creativity. She tenaciously maintains her identity as a writer despite the passage of time and the inevitable changes it brings. She keeps her crucible of creativity seething within, where the burning core of existence goes through the cycle of rebirth, creating life from the embers of its prior existence, extending its root ever deeper into the original meaning of existence itself.

Im Kyu-chan

It is not rare to meet, in Shin Kyung-sook's works of fiction, an "I" who is locked up in a "room" alone. This "I" is invariably anxious to communicate with the outside world. Here, the space in which the "I" is locked up is not a room in the literal sense, that is, a room in a house. Rather, it is the well that provides sweet freshwater, the vegetable garden where green sprouts are pushing their way up, the yard where ducks and chickens are lazily waddling about, or the jar where pitch-black soy sauce is fermenting. In other words, it is the existential

신경숙 소설은 일상적 삶이 하찮은 것의 반복만은 아니라는 것, 그것이 인간의 자연스럽고도 심오한 자기표현이라는 것을 느끼게 한다. 신경숙 소설의 인물들은, 일상의 산문이 시로 변하듯, 인간성의 정화(精華)로 현현하는 경이의 순간이 있다. 그러한 순간, 그들이 구현하는 것은 일상성의 문화에서 자라나 온 자애로운 감성과 모럴, 주로 배려이다. 여기서 배려라는 말은 생명에 대한, 특히 스스로를 유지하기 힘든 약하고 가엾은 생명에 대한 연민, 동정, 돌봄을 총괄하여 가리킨다.

황종연

dwelling place that one can come to only after giving up on the room or house in its literal sense. Perhaps we can regard it as a metaphysical symptom of our lost origins, or the most significant metaphor for modern existence.

Shin Su-jung

Shin's stories remind the reader that everyday life is not simply the repetition of the same trivialities, but the natural and yet profound self-expression of humanity. The characters carved by Shin surprise the reader with their capacity to sublimate their human nature. At such moments of sublimation, they embody benevolent sensibility and morality, a kind of cultural flower grown out of everyday life. This cultural flower may be called "considerateness," that is, compassion, sympathy, and care for life, especially the lives of the weak and the wretched that cannot take care of themselves, who are mainly the protagonist's family members in Shin's stories.

Hwang Jong-yeon

신경숙

나는 왜 글을 쓰는가. 가장 할 말이 많아야 하는 대목인데 나는 이 질문에 늘 전전긍긍입니다. 최선을 다해 이렇게 말해봐도 아닌 것 같고 저렇게 말해도 아닌 것 같아요. 일찍부터 작가가 아닌 나 자신을 생각해본 적이 없음에도 그러합니다. 어쩌면 해답은 거기에 있는 것인지도 모르겠어요. 부정확한 것, 시비가 가려지지 않는 것, 뭐라고 형언할 수 없는 것, 이를테면 말해질 수 없는 것…… 내 작품은 그런 세계를 토대로 쓰여지고 있다고 생각됩니다.

내가 살아보려 했으나 마음 붙이지 못한 헤어짐들, 슬픔들, 아름다움들, 사라져버린 것들, 과학적인 접근으로는 닿지 못할 논리 밖의 세계들, 말해질 수 없는 것들. 이미 삶이 찌그러져버렸거나, 아무도 알아주지 않는 익명의 존재들에게 생기를 불어넣어주고 싶은 욕망. 도처에 어른거리는 죽음의 그림자나, 시간 앞에 무력하기만한 사랑, 불가능한 것을 향한 매달림, 여기 없는 것에 대한 그리움…… 이 말해질 수 없는 것들을 내 글쓰기로 재현해내고 싶은 꿈. 이미 사라지고 없는 것들을 불러와 유연하게

Shin Kyung-sook

Why do I write? I should have plenty to say about this, but I always find myself at a loss for words. No answer feels just right; even the best of my answers often sounds inaccurate. Even though I've never thought of myself as anything other than a writer, the question as to why I write puzzles me just the same. Perhaps, my answer can be found in that ambivalence: uncertain things, things that are neither right nor wrong, those that cannot be captured so easily or expressed so clearly in words—the world of my fiction is founded upon these.

Sadness, beauty, goodbyes from those I have tried my best to live with. Things that are gone and no more, the world beyond the rational reaches of science, the desire to breathe life back into what is broken and nameless and unknown, love that turns to dust in time, longing for what is not here, the inability to let go of what has already been proven impossible. I dream of recreating these things, these things that one cannot so easily talk about. I dream

본질에 닿게 하고 자연의 냄새에 잠기게 하고 싶은 꿈. 그렇게 해서 이 순간을 영원히 가둬놓고 싶은 실현 불가능한 꿈.

내 소설 속엔 어디에나 나의 이런 꿈이 묻어 있을 것입니다. 하지만 꿈은 묻어 있을 뿐 내 소설은 불완전하게 계속 진행되고 있는 과정에 있습니다.

인간은 누구든 글을 읽지 못하는 아주 어린아이 때부터 이야기를 들으며 성장합니다. 나도 이야기를 들으며 성장했습니다. 눈이 내리는 날이면 산에서 배고픈 호랑이가 내려와 장독대의 된장을 퍼먹고 간다거나, 집안에 나쁜 일이 생기려고 하면 지킴이라고 불리는 구렁이가 지붕에서 마당으로 기어 나온다든지 하는 이야기를 말이지요. 호랑이는 그때만 등장하는 게 아닙니다. 어쩌다 떼를 쓰고 울게 되면 어머니는 "우는 아이는 호랑이가 등에 태우고 산속 깊은 곳으로 데려가서 혼을 내준다"고 해서 더 울지도 못하게 했지요. 어린 마음에 호랑이 등에 타는 것도 무섭고, 산 속 깊은 곳 세상도 두려워서 울음을 뚝 그치곤 했던 것 같아요. 이렇게 이야기는 한 인간이 처해 있는 상

of recalling into existence the things that are gone and no more so that they I may once again unite them with their quintessence and bask in the smell of their nature. I dream the impossible dream of preserving for eternity this brief moment.

Such dreams are buried in all my works. These dreams, however, remain buried and my fiction continues to progress in this tottering, imperfect way.

We all grow up listening to stories from a very young age, even before we learned to read. I, too, grew up listening to stories, stories about hungry tigers descending from mountains on snowy days and feasting on the bean paste kept in crock jars outside, or about large guardian snakes crawling out into yards to forebode misfortunes on the way. Tigers make frequent appearances in old tales. "Tigers carry crying children on their backs into the mountains and teach them lessons," my mother would tell me whenever I threw a temper tantrum. I stopped crying right away. I guess I was afraid of riding on a tiger's back and entering a world I knew nothing about. Stories are born out of various situa-

황에 따라 그때그때마다 탄생됩니다. 말하자면 인간을 성장시키기 위해 발굴되는 수많은 이야기들 속에 인류는 둘러싸여 있는 것이기도 할 테지요.

거친 표현이기도 하겠으나 성경과 불경을 포함한 숱한 경전들도 결국 이야기라고 나는 생각합니다. 숱한 신화들과 민속신앙들과 영웅신화들도 인류가 남긴 이야기라고 생각해요. 인류는 왜 이런 이야기들을 남겼을까요? 혹 그 이야기들을 발판 삼아 딛고 앞으로 나아가라는 뜻은 아니었을까요? 어느 시대를 살든 그때 함께 살고 있는 동시대인들은 동시대인들끼리 공동으로 경험하는 삶 속에서 상징이 될 만한 새로운 이야기를 탄생시키며 끊임없이 진화해왔다고 봅니다. 지금의 디지털 시대에도 인류가 서로 소통할 수 있는 매개는 '이야기'가 중심이라고 나는 생각해요. 디지털은 빠른 속도로 이야기를 유포시켜서 이제는 우리가 지구 어디에 살고 있든 단 몇 분 만에 어디서 무슨 일이 일어나는지 알 수 있지요. 지구의 이 끝과 저 끝에서 발생하는 이야기가 1, 2분 안에 세계인이 소통하고 공유할 수 있는 시대에 살게 될 줄 누가 알았겠어요. 이렇게 소통이 신속하기 때문에 이야기는 더욱더 인류의 강력한 희망이 될 수가 있습니다. 폭력과 고통이 빠르게 전달되

tions we face as individuals. We are surrounded by countless stories that have been invented to assist our development as human beings.

Perhaps I'm being too simplistic, but I believe that even the sacred scriptures like the Bible and the Buddhist Sutras are essentially stories, as are mythologies, folk legends and heroic tales. Why did our ancestors leave this legacy of stories behind? Were they trying to tell us to move forward, using these stories as stepping-stones? Each era, each generation gives birth to new stories that represent the shared experiences particular to that time period. Even in the digital age, I believe stories are the main conduit of human communication. We live in a time when we can transmit information to the remotest corners of the earth in a matter of minutes. Who could have guessed that we would ever live in an age when stories could spread around the globe so quickly? And because of the increased speed of their transmission, stories can provide an even more powerful hope for humanity. News of violence and suffering travel around the globe with blinding speed, this is true; but so do the stories of human kindness, stories that act as deeper contemplations

기도 하지만 근원적인 삶에 대한 성찰과 따뜻한 온기에 대한 이야기도 동시에 빠르게 전해집니다. 무의식적으로 좋은 것을 받아들이고 좋은 쪽으로 변화하려고 하는 것이 인간의 본성이라고 본다면 새로운 질서와 새로운 꿈을 꾸게 하는 이야기들이 무수하게 탄생되어 이런 문명의 힘을 입어 아주 빠르게 퍼지며 세계를 소통시키겠지요. 경제공황, 끊이지 않는 테러, 갈수록 심해지는 빈부의 격차, 전쟁의 위협 앞에 놓여있는 인류의 마음을 움직일 수 있는 거의 유일한 것이 이야기이지 않을까요? 이야기와 이야기들이 인류를 연결하고 변화시키고 굳은 마음을 녹게 할 겁니다. 내가 작품 속에서 탄생시키는 이야기들도 해결되지 않는 문제들 때문에 절망에 차 있는 사람들과 소통하기를 희망합니다.

나는 시골에서 자랐는데 내가 자란 마을엔 철길이 놓여있었어요. 상행선 기차는 사람들을 서울로 데리고 갔고 하행선 기차는 사람들을 더 남쪽으로 데려가곤 했지요. 그 철길을 사이에 두고 이편저편에 들판이 있었습니다. 물론 우리 집 논도 거기 있었죠. 나는 기차가 지나가면 무엇을 하고 있건 간에 멈추고는 기차를 향해 손을 흔들었

on life. If it is in our nature to accept what is good and to strive to make positive changes in our lives, then we will continue to create stories about new orders and new dreams, which, aided by modern technology, will spread around the world and facilitate greater communication. What, other than stories, can move hearts grown desolate by economic depression, ceaseless terrors, the increasing gap between the rich and the poor, and constant threats of war? Stories melt hardened hearts, unite people and change them for the better. I hope that my writing will find resonance among the downtrodden, among people struggling with difficult problems.

I grew up in the countryside. A railroad cut across my hometown. It carried people further down south or up north to Seoul, and on either side of the tracks was a field. You could find rice paddies that belonged to my family near the tracks. When a train passed by, I would stop whatever I was doing and wave towards it. Subconsciously, I envied the people in the train, heading for distant places. I wished that I, too, could leave on a train. Those tracks were also where I witnessed so many deaths. My dog, trailing me through the field during the harvest, was

습니다. 가끔 기차 안에서도 모르는 사람이 나를 향해 손을 마주 흔들어주기도 했어요. 무의식적인 행위였지만 나는 기차를 타고 먼 곳으로 떠나는 사람들을 마음속으로 선망했어요. 나도 그 기차를 타고 그 마을을 떠나게 되기를 바랬죠. 그 기찻길은 내게 수많은 죽음을 목도하게 했어요. 집에서 기르던 개가 추수가 한창인 논으로 가던 내 뒤를 따라오다가 기차에 치이기도 했고 술을 먹고 철길을 베고 잠이 든 사람의 머리통이 날아가기도 했으며 살아가는 것에 더 이상 의욕이 없던 일가족이 그 길에서 목숨을 버리기도 했죠. 기차는 사고 난 지점으로부터 오백 미터쯤 지나서 멈췄습니다. 기차의 속도는 제어할 수 없이 빨라 기관사가 물체를 발견하고 브레이크를 밟는다고 해도 그 속도 때문에 사고를 방지할 수가 없습니다. 발견을 했는데도 이미 늦는 거지요. 나는 이해할 수 없는 이런 죽음들을 수도 없이 목도하며 성장했어요. 언제부턴가 이런 일들을 노트에 적기 시작했어요. 처음에는 그냥 쓰기 시작했는데 점점 노트에 적는 일이 중요해졌어요. 처음엔 현실에서 발생하는 일만 쓰기 시작했으나 점점 상상력이 덧붙여져 꿈과 희망과 비밀들이 쓰여지기 시작했어요. A를 A라 쓰지 않고 AB라고 쓰기 시작하니까 현실의 일들

run over by a train; a drunk who had fallen asleep with the track as his neck support lost his head in his sleep; and a family who no longer saw any reason for living gave up on their lives on the tracks. The train would stop 500 meters past the point of impact. Even if the driver discovered an object on the track and braked hard, the train couldn't decelerate fast enough; it would've been too late by then.

I grew up watching incident after incident filled with this sort of incomprehensible death. I began to write them down in my notebook and the act of writing gradually took on more importance. At first, I merely recorded what happened, but in time, my imagination found its way into the notebook and I began to write about my dreams and hopes as well as my secrets. A was no longer just an A but an AB in my notebook—a transformation recognizable only to myself—and it brought me a great pleasure. I wrote nothing on those days when everything went well and I was happy. When I was filled with pain and sadness, on the other hand, I found myself writing for a long time. The writing, which I did in secret, began to convey dreams and hopes; and my intimate desires, merging with the events of the world, gave rise to new stories.

을 나만 알아볼 수 있는 희열이 있었어요. 일이 잘 풀려서 기쁘고 행복한 날에는 아무것도 쓰지 않았습니다. 반대로 마음이 슬프고 아픈 날에는 쓰는 시간이 길어졌습니다. 어느덧 혼자 몰래 써보는 글은 꿈과 희망을 실어 나르기 시작했고 이 세상의 일들과 나의 내밀한 욕망들이 다른 이야기들을 불러들이며 쓰여지기 시작했어요. 그러자 노트 안에서는 희한한 일이 일어나기 시작했죠. 내가 보고 느끼는 것들만이 아니라 눈에 보이지 않는 것, 멀리 있는 것, 여기가 아닌 저기가 서로 엮어지고 짜여지며 현실에 또 하나의 세계를 일구었어요. 현실에서는 가능하지 않은 이야기들이 노트 안에서는 가능해지기 시작했고, 타자에게 전달되지 않은 채 오해만 일으켰던 이야기들이 노트 안에서는 소통을 이루며 풍성한 밭을 일구어나갔어요. 형제가 많은 속에서 자라는 동안 무수히 침범당하는 나 개인의 일상 또한 노트 안에서는 무한대로 자유로웠습니다. 나는 그 자유 때문에 점점 노트를 사랑하기 시작했어요. 내 주변의 내가 본 모든 일들을 다 문장으로 바꿔보려는 게 습관이 되어갔어요. 나중에는 아무 일이 없어도 문장을 쓰는 것 자체를 즐겨 내가 좋아하는 시나 소설을 노트에 빼곡하게 옮겨 적는 일들이 청년기까지 반복되었습니다.

Then something strange began to take place in my notebook. What I couldn't see, what wasn't here but intertwined faraway to shape a new reality, apart from the one based on what I could see and feel, I began to see it. What was not possible in this reality became possible in my notebook, and the misunderstood stories that never found listeners linked and connected with one another forming a vast, fertile field. My days, marked by so many invasions and interferences from my brothers and sisters, were free and private in my notebook. Because of this freedom, I came to love my notebook. It became a habit of mine to try to render everything I saw around me into the written language. I grew to love sentences: I came to enjoy building sentences so much that even on uneventful days, I would fill my notebook with poems and stories I copied from other books. This continued well into my teenage years.

Once, my high school teacher made me write a letter of apology. I'd been absent so many times that I was faced with expulsion. I'd moved to the city and I was having a difficult time adjusting to the new environment. Everything I loved was far away,

고등학교에 다닐 때 만난 은사가 내게 반성문을 쓰게 한 적이 있습니다. 무단결석이 길어져 그때의 나는 제적 대상이었거든요. 시골을 떠나 도시로 이주해온 나는 적응을 못했어요. 사랑하는 것들은 멀리 있었고, 이해할 수 없는 일들이 날마다 발생했고, 어쩌다 마음을 붙이고 지내보려고 하는 관계는 어긋났죠. 도시에서 만난 사람들은 모두 화가 난 사람처럼 각자들 다른 곳을 향해 걸어 다니는 것 같았어요. 반성문에 이런 이야기들을 쓰다보니 노트 반 권이 채워졌어요. 무슨 문장을 썼는지 지금은 다 잊었어요. 갑자기 도시 빈민자가 되어버린 불합리한 삶을 에워싸고 있는 암호 같은 이야기들을 나열해 써놓았을 겁니다. 쓴 나조차도 해독할 수 없는 말더듬이의 말이었을 겁니다. 그럼에도 불구하고 은사는 반성문을 읽어보고 내게 소설가가 되어보라 했어요. 꿈이 필요했던 내게 그 말은 하늘에서 떨어진 별 같았지요. 반성문을 통해 소설가가 되라는 말을 처음 들어서인지 가끔 나는 내 소설이 이 세계와 개인적인 내 삶이 저질러놓은 오류에 대한 반성문 같다는 생각을 하기도 합니다. 그럴지도 모릅니다. 한 순간도 멈춰 있지 않고 움직이는 이 삶 속에서 살아가면서 내가 저버릴 수밖에 없었던 인간관계, 나도 모르는 사이

the days were full of incomprehensible events and what few relationships I had tried to nurture went awry. In the city, everyone seemed as if they were angrily stomping off to different places. I quickly filled up half of a notebook with observations like these. I forgot what exactly I wrote but my guess is that I'd probably written down enigmatic stories surrounding my sudden, illogical transformation into the urban poor. It was probably something akin to a sputtering, half-muttered remark, something even I myself couldn't understand. Despite it all, my teacher told me that I should try my hand at becoming a writer. Starved for hope, I hung onto her words as though they were stars dropped from heaven. Maybe it's only because a letter of apology afforded me the recommendation to become a writer, but I sometimes wonder if my work is itself one great letter of apology, an apology for my mistakes as well as for the wrongs committed in this world. It seems likely. My work may very well be an apology offered up to all the relationships I failed to maintain in the hustle and bustle of daily life, to the world I turned my back on unknowingly, to the people whose lives I might have disrupted.

Writers must force themselves to see what they

배신해버렸던 세계, 나로 인해 삶이 흔들렸을지도 모른 타자를 향한 반성문이 내 소설일지도 모릅니다. 작가란 보지 말아야 할 것을 보아버린 운명의 소유자들입니다. 그렇지 않고서야 밤낮 없이 형틀 같은 의자에 앉아 있기를 자청하겠나요. 내가 보아버린 그것이 무엇인지 모른 채로 오늘도 나는 글을 쓰고 있어요. 영원히 그것이 무엇인지 모르고 작가생활이 끝날 수도 있겠지만 한 가지는 압니다. 내 작품은 나와 소외자들을 위해서 쓰여졌다는 것을요. 명랑하고 즐거운 사람들보다 슬프고 아픈 사람들을 위해 쓰여졌습니다. 해결되지 않는 것, 금지된 것, 패배한 것들의 편에 있고자 했습니다. 내가 무엇을 주제로 작품을 썼든 내 이야기들은 억압에 저항하는 자유의 속성을 지니고 있다고 생각합니다. 가장 아름다웠던 순간들이 가장 큰 슬픔을 남기며 상실되어가는 것을 언어로 지켜보고 있었다고도 생각합니다. 글을 쓸 수 있었기 때문에 진실이 남기고 간 발자국을, 태어남과 동시에 이루어지는 소멸을, 이해하기 힘든 불합리적인 것들이나, 설명하려 하면 할수록 해체되어버리는 것들, 가까이 다가갈수록 멀어지는 것들과 함께 할 수 있었으며 그런 상황들을 견뎌낼 수 있었어요. 내가 슬펐을 때 문학작품이 나를 위로하였

shouldn't—such is their fate. Why else would they, of their own free will, endure the torture of confinement to a chair day in and day out? Even today, I continue to write, not even knowing what it is that I've seen. I may never know it, even to my last days as a writer, but I am sure of one thing. I write for myself and for the people on the fringe full of sadness and pain, not joy and laughter. I strive to stand on the side of the unresolved, the forbidden or the vanquished. Regardless of the subject matter—I'd like to think—my stories share that essential nature of freedom, which is the resistance to oppression. With my language, I follow those beautiful moments as they vanish, leaving only the sadness behind. Because I can write, I can endure the shape of truth left behind, birth accompanied by its concomitant extinction, absurdities that defy comprehension, things that become more obscure as you try to explain them, the distances that grow the more you try to bridge them. Literature consoled me when I was sad; I hope that my work, too, will stay a companion to those overcome by sadness.

Compassion underlies all my works since most of what inspires me as a writer brings out a feeling of

듯이 내 작품도 슬픔에 빠진 사람들 곁에 함께 있기를 바랍니다.

이러한 과정의 관찰자인 내 작품의 가장 밑바탕에 깔려 있는 것은 연민일 겁니다. 내게 영감을 주는 것들의 느낌은 대개가 아, 저거 참 가엾다, 참, 안됐다, 하는 것들이니까요. 그것들이 내게 머물며 소설이 됩니다. 태어나서 살아가고 죽는 사이에 가장 찬란한 순간, 우리가 청춘이라고 부르는 그런 순간이 만물에게 존재하지요. 그 순간이 영원히 계속되지 않기 때문에 나는 씁니다. 생명 있는 것들이 한 순간도 가만히 있지 않고 변화하기 때문에 나는 씁니다. 그 존엄과 아름다움과 고통과 비애들을요. 내 작품들이 소외된 것들의 문제를 해결하지는 못하더라도 그것을 따뜻이 껴안으며 그들과 함께 있기를 바라면서 씁니다. 연민은 어머니의 마음에 가장 근접한 감정이고 결핍되고 모순되고 불합리한 것들을 돌보는 것의 상징이 어머니의 마음이라면 내게 소설쓰기는 이런 어머니의 마음 가장 가까이 가는 것입니다. 나의 근작 장편소설 중에 『엄마를 부탁해』가 있습니다. 엄마에게도 엄마가 필요하다는 인식하에 쓰여진 작품입니다. 어느 날 갑자기 복잡한 지

pity in me and makes me exclaim, *oh, how sad,* or *you poor thing!* They stay with me and turn into my stories. Youth, the most glorious time between birth and death, exists for all living things. And because life undergoes constant and ceaseless transformations, I write. I write about the dignity and the beauty and the pathos of all the things that change. My writing may not solve anything but I always hope that it will remain beside the people on the fringes of society, providing them the comfort and warmth of an embrace. Compassion, I believe, is at the heart of motherhood; and if motherhood can symbolize the act of caring for all who suffer from lack and conflict and senselessness, then my writing is an attempt to approximate a mother's love. Among my recent works is a novel called *Please Look After Mom.* This story was born out of the recognition that even a mother needs a mother. In the story, a family tries to cope with their mother's absence after they lose her in a crowded train station. As they search for their missing mother, the family learns that she wasn't born a mother but rather had become one; and, as with everyone else, the first word she'd learned was *mama.* In short, even a mother needs a mother. I hope that my

하철 역 안에서 엄마를 잃어버리고 난 후에 그 부재를 통해 가족들이 엄마를 찾아나서는 이야기입니다. 엄마를 찾는 과정에서 가족들은 엄마가 처음부터 엄마로 태어난 사람이 아니라 엄마가 된 사람이라는 것, 엄마도 우리들처럼 이 세상에 태어나 처음으로 배운 말이 '엄마'라는 것이었다는 것을 깨달아갑니다. 결국 엄마도 엄마가 필요한 사람이었다는 것을 이야기하지요. 엄마가 필요한 엄마조차도 껴안을 수 있는 큰 어머니 같은 역할을 내 소설이 하기를 희망합니다. 내 작품이 이미 소멸한 것이나 지금 위험에 처해 있는 것에 마음을 주고 그것을 살려내고 복원시키고 근원을 상기시키는 데에 복무하기를 바라는 이유가 거기에 있습니다. 어렸을 때부터 엄마가 없을 때 내가 강아지며 텃밭 채소를 돌보면 윤기도 없고 비실비실한데 엄마가 돌아와 며칠만 돌보면 다시 생기가 넘치고 생생하게 되살아나는 것이 항상 신비롭고 궁금했어요. 내 소설이 어머니의 손길처럼 죽어가고 있는 것들을 돌보아 살아가게 했으면 하는 바람으로 오늘도 나는 씁니다.

work can serve that need, become a mother figure to nurture even a mother in need of a mother.

When I was a child, I was always mystified by the fact that our family dog and even the vegetables in the garden would seem to grow listless and dull whenever my mother was away; and I was equally fascinated by how my mother could restore their vivacity after just a few days of tending to them. I continue to write with the hope that my writing, like the magical touches of my mother, can look after those things that have begun to die away, so that they may continue to live.

번역 아그니타 테넌트 Translated by Agnita Tennant

1957년 연세대학교 정치외교학과를 졸업하고, 1963년에 영국으로 건너가 영국성공회 신부 Rev. Roger Tennant와 결혼했다. 영국 라흐버러 대학교에서 박사 학위를 취득하고, 레스터셔 도서관에서 사서로 근무했다. 은퇴 후 쉐필드 대학교에서 한국 현대 문학을 강의했다. 박경리의 대하소설 『토지』 1부를 영문으로 번역하여 영국에서 출판했다. 이외에도 20여 편의 한국 단편소설을 번역 출판했다. 현재 영국 레스터셔에 거주하고 있다.

Agnita Tennant, nee Hong, was born in Korea. She was educated at Yonsei University in Korea. In Britain, she studied at Loughborough University and received her Ph.D. there. She worked as a librarian in Leicestershire and taught Modern Korean Literature at Sheffield University. She has translated Part 1 of Park Kyung-ni's novel *Land* into English and published it England. Besides *Land* she has translated and published some twenty Korean short stories. She lives in Leicestershire, England.

감수 K. E. 더핀 Edited by K. E. Duffin

시인, 화가, 판화가. 하버드 인문대학원 글쓰기 지도 강사를 역임하고, 현재 프리랜서 에디터, 글쓰기 컨설턴트로 활동하고 있다.

K. E. Duffin is a poet, painter and printmaker. She is currently working as a freelance editor and writing consultant as well. She was a writing tutor for the Graduate School of Arts and Sciences, Harvard University.

감수 전승희 Edited by Jeon Seung-hee

서울대학교와 하버드대학교에서 영문학과 비교문학으로 박사 학위를 받았으며, 현재 하버드대학교 한국학 연구소의 연구원으로 재직하며 아시아 문예 계간지 《ASIA》 편집위원으로 활동 중이다. 현대 한국문학 및 세계문학을 다룬 논문을 다수 발표했으며, 바흐친의 『장편소설과 민중언어』, 제인 오스틴의 『오만과 편견』 등을 공역했다. 1988년 한국여성연구소의 창립과 《여성과 사회》의 창간에 참여했고, 2002년부터 보스턴 지역 피학대 여성을 위한 단체인 '트랜지션하우스' 운영에 참여해 왔다. 2006년 하버드대학교 한국학 연구소에서 '한국 현대사와 기억'을 주제로 한 워크숍을 주관했다.

Jeon Seung-hee is a member of the Editorial Board of *ASIA*, is a Fellow at the Korea Institute, Harvard University. She received a

Ph.D. in English Literature from Seoul National University and a Ph.D. in Comparative Literature from Harvard University. She has presented and published numerous papers on modern Korean and world literature. She is also a co-translator of Mikhail Bakhtin's *Novel and the People's Culture* and Jane Austen's *Pride and Prejudice*. She is a founding member of the Korean Women's Studies Institute and of the biannual Women's Studies' journal *Women and Society* (1988), and she has been working at 'Transition House,' the first and oldest shelter for battered women in New England. She organized a workshop entitled "The Politics of Memory in Modern Korea" at the Korea Institute, Harvard University, in 2006. She also served as an advising committee member for the Asia-Africa Literature Festival in 2007 and for the POSCO Asian Literature Forum in 2008.

바이링궐 에디션 한국 대표 소설 012
풍금이 있던 자리

2012년 7월 25일 초판 1쇄 발행
2018년 4월 16일 초판 3쇄 발행

지은이 신경숙 | **옮긴이** 아그니타 테넌트 | **펴낸이** 김재범
감수 K. E. 더핀, 전승희 | **기획** 전성태, 정은경, 이경재
편집장 김형욱 | **관리** 강초민, 홍희표 | **디자인** 나루기획
펴낸곳 (주)아시아 | **출판등록** 2006년 1월 27일 제406-2006-000004호
주소 경기도 파주시 회동길 445(서울 사무소: 서울특별시 동작구 서달로 161-1 3층)
전화 02.821.5055 | **팩스** 02.821.5057 | **홈페이지** www.bookasia.org
ISBN 978-89-94006-20-8 (set) | 978-89-94006-32-1 (04810)
값은 뒤표지에 있습니다.

Bi-lingual Edition Modern Korean Literature 012
The Place Where the Harmonium Was

Written by Shin Kyung-sook | **Translated by** Agnita Tennant
Published by Asia Publishers | 445, Hoedong-gil, Paju-si, Gyeonggi-do, Korea
(Seoul Office: 161-1, Seodal-ro, Dongjak-gu, Seoul, Korea)
Homepage Address www.bookasia.org | **Tel**. (822).821.5055 | **Fax**. (822).821.5057
First published in Korea by Asia Publishers 2012
ISBN 978-89-94006-20-8 (set) | 978-89-94006-32-1 (04810)